Y FFIN

Y FFIN

Gwenlyn Parry

Christopher Davies
Llandybie

743529

Cyhoeddwyd gyntaf 1975 gan
Christopher Davies (Cyhoeddwyr) Cyf
Heol Rawlings, Llandybie
Dyfed

ISBN 07154 216 1

*Argraffwyd gan
Wasg Salesbury Cyf
Heol Rawlings, Llandybie
Dyfed*

*Rhaid cael caniatâd swyddogol y Cyhoeddwyr cyn chwarae'r
ddrama 'Y Ffin'. Y mae'n ofynnol gyrru am y caniatâd o
leiaf saith niwrnod cyn y perfformiad.*

Gyrrer am y telerau a'r caniatâd at

*Christopher Davies
Heol Rawlings
Llandybie, Rhydaman*

I

CATRIN LYNWEN

RHAGARWEINIAD

Dymunaf ddiolch o galon i Mr. Victor John am ddarllen a chywiro'r proflenni; i Miss Carys Rowlands am deipio'r llawysgrifau gwreiddiol; i'r B.B.C. am gael dangos eu lluniau; i Mr. Martin Morley am y brasluniau o'r golygfeydd llwyfan ac i Wasg Christopher Davies am eu gofal a'u hamynedd ynglŷn â chyhoeddi'r ddrama hon.

Y mae fy nyled yn fawr hefyd, i'm cyfaill John Hefin a fu'n gyfrifol am y cynhyrchiadau cyntaf. Cefais lawer i awgrym gwerthfawr ganddo a fu'n gyfrwng i gyfoethogi'r ddrama.

Rhagfyr, 1974   GWENLYN PARRY

RHAGAIR

Fe ddechreuodd 'Y Ffin' rhyngom ryw saith mlynedd yn ôl—mewn car ar daith o Gaernarfon i Gaerdydd. Roedd Wilias a Now a rhyw ferch anelwig yn eu cwt sinc wedi dechrau meddiannu dychymyg yr awdur yn y dyddiau pell hynny. Wrth wibio heibio i Langollen, Henffordd, a Llwydlo, cynyddodd fy mrwdfrydedd i wybod mwy am y triawd, fesul milltir.

Ond y ddrama nesaf i'w chyhoeddi oedd 'Tŷ ar y Tywod'—'roedd 'Y Ffin' yn parhau yn y groth, yn glyd yn y tywyllwch, a dim ond rhyw ddwy flynedd yn ôl, pan gafodd gomisiwn gan Gwmni Theatr Cymru, y dechreuwyd ar 'Y Ffin' o ddifri.

Dewiswyd yr Actorion, cynlluniwyd set arbennig o dda gan Martin Morley, trefnwyd llwyfannu yn Eisteddfod Genedlaethol Rhuthun a pharatowyd taith o amgylch Cymru. Yr unig beth oedd ar ôl oedd yr ymarferiadau. Daethom at ein gilydd ddiwedd mis Mehefin yng Nghaerdydd. 'Roedd pob un ohonom yn frwdfrydig, yn credu fod gennym sgript dda ac yn barod i dorchi llewys. Buom yn trafod y ddrama yn ystod y dyddiau cyntaf a'i gweld fel yr olaf mewn cyfres o dair. Roedd hyn yn fwy eglur i Dafydd a Gaynor, oherwydd bu'r ddau'n actio yn y ddrama gyntaf—'Saer Doliau'. Sylwodd Eilian nad oedd yna'r un araith hir yn 'Y Ffin' a'r gwahaniaeth amlwg rhwng y dechneg o'i chymharu â'r areithiau yn 'Tŷ ar y Tywod'. Roeddem i gyd, yn enwedig Wil a Dewi, y Rheolwr Llwyfan, yn sylweddoli, gyda phryder, ar gymaint o waith fyddai'n rhaid wrtho i drawsnewid y murddun anniben i dŷ twt o dan lygaid cynulleidfa.

Beth bynnag, fe roddwyd taw ar y siarad a mynd ati i geisio dehongli'n ymarferol. Peth anodd oedd hi i mi ymatal rhag edrych ar y ddrama trwy lygaid y camerâu o hyd. Un 'shot' lydan am ryw ddwy awr yw'r Theatr—does rhyfedd yn y byd mai cyfrwng i actorion yw.

Bu Gwenlyn yn yr ymarferiadau bob dydd yn ystod yr wythnosau hynny, yn egluro, yn gwrando, yn cefnogi ac yn rhyw fân

chwynnu ar y sgript. Ychydig iawn o newid fy ar gorff y ddrama
. . . ei chloi oedd y broblem . . . ond stori arall yw honno.

Mae'n awdur hawdd iawn i gydweithio ag ef—yn llawn syn-
iadau, ond hefyd yn barod i dderbyn awgrymiadau gan eraill.
Drwy'r cyfnod yma, 'roeddem ein dau yn gytûn mai ein nod oedd
apelio at ddychymyg a theimladau ein cynulleidfa, ac nid at eu
deall. Nid y deall sy'n rheoli a llywio bywyd yr unigolyn ond ei
obeithion, ei bryderon, ei ddyheadau, ei euogrwydd ac efallai'n
fwy na dim, ei ansicrwydd.

Perfformiwyd y ddrama—bu ymateb—un cynhyrchiad wedi
ei wneud ac un arall yn aros. Y cwestiwn a barodd oriau o boen-
dod oedd a ddylid anelu at ddehongliad hollol wahanol ar gyfer
y teledu. Rhyw lugoer oedd ein teimladau at wneud yn gywir yr
un cynhyrchiad ond ar yr un pryd, 'roeddem yn sylweddoli mai
drama *lwyfan* oedd 'Y Ffin' ac o'i haddasu'n gyfangwbl ar gyfer
y teledu byddi'n rhaid colli cymaint o ddelweddau oedd ynghlwm
yn y dialog. Fe groesodd fy meddwl ar un adeg i roi dehongliad
pendant o gefndir Now a Wilias. Euthum cyn belled â rhoi peth
o'r syniad hwn ar ffilm gyda'r bwriad o'i asio wrth y ddrama.
Ond wedi gweld y briodas, penderfynais na ddylid gwneud y
fath beth. Cyfaddawdu fu'r ateb yn y pen draw, sef cadw cymaint
o'r sgript â phosib, a chyfnewid y dialog a ddilewyd gyda lluniau
pwrpasol. Awgrymu yn hytrach na dweud o hyn ymlaen. Un gair
bach ynglŷn â darllen neu wylio'r ddrama—peidiwch â gadael
i'r ffeithiau ddod rhyngoch a'r gwir.

Pleser a braint yw cael cyflwyno'r ddrama newydd yma o eiddo
Dyn y Dialog.

JOHN HEFIN EVANS

Y FFIN

(Drama Gomisiwn Eisteddfod Dyffryn Clwyd, 1973)

Cyflwynwyd y ddrama hon y tro cyntaf ar y llwyfan gan Gwmni Theatr Cymru yn Eisteddfod Genedlaethol Dyffryn Clwyd, 1973 ac wedyn ar daith yr Hydref yr un flwyddyn.

Cymeriadau:

WILLIAMS	*David Lyn*
NOW	*Eilian Wyn*
DRINGWR	*Gaynor Morgan Rees*
CYNHYRCHYDD	*John Hefin*
CYNLLUNYDD	*Martin Morley*
GOLEUO:	*Murray Clark*
RHEOLWR LLWYFAN	*Gwynfryn Davies*
GWISGOEDD	*Gwyneth Roberts*
CYNORTHWYWYR	*Duncan Scott, Dewi Huws,*
	Mike Thomas, Emlyn Owen

Recordiwyd y ddrama gyntaf ar gyfer y teledu gan y B.B.C., Nos Wener, 7fed o Fehefin, 1974

Cymeriadau:

WILLIAMS	*David Lyn*
NOW	*Eilian Wyn*
DRINGWR	*Gaynor Morgan Rees*
CYNHYRCHYDD	*John Hefin*
CYNLLUNYDD	*Pauline Harrison*
GWISGOEDD	*Pearl Setchfield*
COLURO	*Cissian Rees*
GOLEUO	*Tony Escott*
SAIN	*Frank Prendergast*
CYNORTHWYWYR	*Beth Price, Ron Owen, Alan*
	Cooke, Meirion Mainwaring

Golygfa:

Cwt **Bugail** or ochor mynydd. Ar ddechrau'r ddrama nid yw'r adeilad ond ffrâm yn unig, a gellir gweld trwy'r muriau (gweler y darlun gyferbyn). Ar ddiwedd yr Act Gyntaf fe wisgir y sgerbwd yma â pharwydydd sydd ar hyn o bryd wedi eu gwasgaru o gwmpas y llawr (ond gofaler nad yw'r gynulleidfa yn sylwi beth ydynt ar y cychwyn fel hyn). Ymysg yr alanast hefyd mae hen faddon alcan, gwely, ambell i focs, siswrn cneifio, lamp stabal ac ysgol. Yng nghhornel dde'r ystafell (bydd y cyfarwyddiadau bob tro o safbwynt y gynulleidfa) mae stôf gron hen ffasiwn gyda'r corn simdde'n anelu allan drwy'r to.

Yng nghanol y mur cefn mae drws, ac yn union uwchben iddo mae taflod fechan (croglofft) ac uwchben y platfform yma mae ffenestr gyda dorrau pren arni (yn agor o'r tu mewn). Arferai'r Bugail ddefnyddio'r daflod fel rhyw fath o 'look-out' a thrwy'r ffenestr gallai weld y rhan fwyaf o lethrau'r mynydd o'i gwmpas —yn wir, ar ddiwrnod clir, gallai weld yr holl ffordd i lawr i'r pentref oedd tua mil o droedfeddi islaw. Mae'r ysgol a ddefnyddir i ddringo i'r daflod wedi disgyn yn erbyn y drws. I'r chwith o'r drws mae ffenestr gyda'r gwydrau i gyd wedi torri ac y mae rhywun, rywdro wedi ei bordio'n frysiog gyda thair ystyllen bren. Tu allan mae'r gwynt yn cwyno'n ddistaw wylofus. Ar ôl ysbaid fer fe glywir lleisiau yn nesáu at yr adeilad.

Cymeriadau

WILIAS   *Gŵr tua hanner cant oed*
Now   *Llanc tua ugain oed*
YMWELYDD   *Dringwr tua deg ar hugain oed*

Y FFIN

Act I

WILIAS: (*llais*) 'Co fe! Ti'n weld e . . . 'co fe!

Now: (*llais*) Hwna dio?

WILIAS: (*llais*) 'Doeddet ti ddim yn 'y nghoelio i, nac oeddat?

Now: (*llais*) Ond dim hwnna ydio'n enw'r Arglwydd?

WILIAS: (*llais*) Dim ffydd ti'n gweld. Dim ffydd yn dy ffrind.

> (*Gwelir gŵr mewn oed a bachgen ifanc yn nesáu at y drws.*)

Now: Ond 'tŷ ddudoch chi, Wilias—tŷ clyfar!

WILIAS: Aros nes ei di i mewn (*mae'n cael trafferth i agor y drws*) . . . lle perta welist di erioed . . . (*mae'n ysgwyd y drws*) . . . clyd fel nyth dryw . . . chei di ddim lle fel hyn heddi am ffortiwn . . . (*ysgwyd y drws eto*) . . . fe allwn gael cannoedd amdano fe . . . miloedd!

Now: O Rarglwydd! Dowch, Wilias bach, ne mi fydda i wedi rhewi'n stond.

WILIAS: Aros eiliad.

Now: Be gythral sy'n bod ta?

WILIAS: Clo 'di rhwdu 'falle . . . mi ddaw.

Now: Peidiwch deud bod y goriad rong gynnoch chi.

WILIAS: Paid â siarad dwli.

Now: Ond pam na gorith o ta? Ylwch, safwch draw a mi roi ysgwydd i'r diawl.

WILIAS: Na . . . Na . . . dal dy afael am funed.

Now: Ond 'dwi'n blydi rhewi w'chi.

WILIAS: Amynedd machgen i (*ysgwydd y drws eto*) . . . ara deg mɜ' dala giâr.

> (*Mae Now yn cerdded at y ffenestr ac yn craffu i mewn rhwng yr ystyllod pren.*)

Now: Be' am ffor' hyn ta?

WILIAS: 'Tae gen i ddropyn o rywbeth i iro'r clo.
(*Mae Now yn taro un o'r ystyllod pren â'i ddwrn nes bo honno'n disgyn gyda thrwst i mewn i'r ystafell.*)

WILIAS: Be' gebyst wnest ti?

Now: Rhyw hoelan a phoeri sy'n dal y siou i gyd, Wilias.

WILIAS: Ond mi ddwedais wrthy' ti am beidio . . . (*mae Now yn taro ystyllen arall i mewn*) . . . Paid!

Now: 'Da ni ddim yn mynd i sefyll fa'ma drw'r nos fel dau faharan fynydd, nacydan? (*mae'n rhoi ergyd i'r drydedd ystyllen*).

WILIAS: Aros funed!

Now: Dyna fo, mor hawdd ag agor tun biscet.

WILIAS: Ond mi fedra i agor y drws 'tae ti'n . . .

Now: (*Mae'n ceisio dringo i mewn*) Rhowch hergwd i mi.

WILIAS: Na, aros—mae'n well i ti beidio . . .

Now: Gwthiwch ddyn . . . rhowch ysgwydd dan 'nhin i (*mae'n dringo i mewn*) 'Na ni . . .
(*Llanc tuag ugain oed yw Now, ac y mae wedi ei wisgo mewn hen siaced armi gyda dabs am ei draed.*)

Now: (*Yn edrych o gwmpas yr ystafell mewn syndod*) Nefoedd yr adar!

WILIAS: Ti'n iawn?

Now: Dim hwn ydio siŵr Dduw . . . tynnu 'nghoes i mae o . . . tynnu 'nghoes i ma'r diawl bach.

WILIAS: Ti'n 'nghlywed i?

Now: Rêl blydi sianti!

WILIAS: (*Yn uchel yn awr*) Now!

Now: (*Yn mynd at y ffenestr*) 'Da ni'n lle rong, Wilias bach. Dim hwn ydio.

WILIAS: Helpa fi i mewn.

14

Now:	Rhoswch funud. (*Mae'n chwilio o gwmpas 'yr ystafell nes daw o hyd i focs ac yn ei estyn drwy'r ffenestr i Wilias*) Sefwch ar hwn! (*Mae Wilias yn cymryd y bocs ac yn ei roi wrth droed y ffenestr. Mae'n sefyll arno ac estyn dau gês mawr i mewn*) Ylwch, waeth i chi heb na dwad a'n gêr ni i fewn—dim hwn 'di'r lle . . .
WILIAS:	'Na hast—ma' hi'n dechra glawio.
Now:	(*Yn cymryd y ddau gês*) Ond ma'r lle yn llawn o nialwch—rel siop siafings . . . (*Wilias yn dringo i mewn*) . . . dim tŷ . . . dim tŷ go iawn . . . (*Gŵr tua 50 oed yw Wilias, ac y mae wedi ei wisgo mewn côt fawr ddu a het o'r un lliw ar ei ben. Mae sgarff am ei wddf a dabs yr un fath â Now am ei draed.*)
WILIAS:	Be' ti'n feddwl? (*edrych o gwmpas gydag edmygedd*) . . . i'r dim o'n tefe—i'r dim!
Now:	Ylwch, Wilias . . . ma' jôc yn iawn . . .
WILIAS:	Sych grimp . . . dim diferyn o leithder yn unlle.
Now:	Ie, ond Wilias . . .
WILIAS:	A ni sy' berchen e' . . . ni! —ti a fi!
Now:	'Da chi o blydi difri'n tydach?
WILIAS:	Oes rhaid i ti regi ngwas i, oes rhaid i ti?—'wi wedi dweud a dweud wrthyt ti . . .
Now:	Ond. Wilias—'da chi rioed o ddifri . . . dim hwn ydi'r lle . . . nid fa'ma?
WILIAS:	(*Gwên fawr*) Ni wedi cyrraedd, machgen i—ni gartre! (*rhoi ei het ar hoelen a thynnu ei sgarff. Gwelwn yn awr ei fod yn gwisgo coler gron gweinidog yr efengyl. Saib hir.*)
Now:	Ond 'tŷ' ddudoch chi—tŷ go iawn.
WILIAS:	Ond fyddwn ni fawr o dro a'i gael o i drefn, Now bach—dipyn o ddŵr sebon a brws câns—cot ne ddwy o baent—llenni newydd ar y ffenestr yna . . .

15

gwely arall yn lle hwn falle . . . dau wely . . . **un** i ti ac un i mi.

Now: Dim uffar o berig.

WILIAS: Now!

Now: Dio ddiawl o ots gen i . . .

WILIAS: Now! Iaith! Sawl gwaith ma' rhaid imi ddweud?

Now: Ond ddyn, ma' sens pawb yn deud . . . **drychwch** ar y lle . . . 'sdim lle i droi yma.

WILIAS: Ma' hi'n bymtheg troedfedd o hyd . . . (*yn camu'r ystafell i'w mesur gyda'i draed*) . . . un . . . **dwy** . . . tair . . .

Now: A sut gythral all neb fyw mewn lle fel **hyn**—**mi** fyddwn ar gefna'n gilydd.

WILIAS: Naw . . . deg . . . unarddeg . . .

Now: 'Dwi wedi gweld gwell cwt ci.

WILIAS: Pymtheg. Dyna fe—pymtheg union— 'da 'chydig i sbario . . .

Now: Tasa 'na 'stafall arall yma—mi fasa'n **help**.

WILIAS: I be?

Now: Y?

WILIAS: 'Stafell arall—be' ti moen stafell arall?

Now: Wel diawl, cwcio, byta, cysgu 'run lle . . . a **be'** tasa ni isio . . . le 'da ni'n mynd i . . . ?

WILIAS: Mas yn y bac—un dela welest di 'rioed.

Now: Fasa well inni fyw yn fa'na 'ta a gneud 'n busnas fan hyn?

WILIAS: (*Saib hir tra mae'n edrych arno*) Ti'n trio bod yn frwnt nawr o'nd dwyt ti—trio mrifo i . . . **trial** 'neud loes i fi?

Now: Duw—jôc ddyn . . .

WILIAS: (*Wedi pwdu*) Ti'n cael pleser o hynny o'nd **dwyt** ti— mrifo i?

Now: Ylwch, yr unig beth 'dwi'n drio'i ddeud ydi—**bod** y lle rhy fach. Fedran ni byth fyw mewn un **stafell** fel hyn.

WILIAS:	'Sa well 'da ti fod dy hunan ta?
Now:	Peidiwch â siarad lol.
WILIAS:	Ne' fynd nôl . . . cer ynte . . . cer os mai dyna ti'n moen . . . sdim ots 'da fi . . . cer nôl atyn nhw!
Now:	Duwcs, peidiwch â bod mor groen-denna, wir Dduw . . . ma' petha'n wahanol rwan 'tydyn . . . 'da ni'n rhydd . . . rhydd i neud be gythral fynno ni . . . (*saib*) . . . Ma' gynnon ni ddewis rwan toes? (*mae Wilias yn gwrthod edrych arno*) . . . Wel, syniad pwy oedd o? . . . (*saib eto*) Wel, chi ddudodd . . . trefnu petha fel 'da ni isio . . . dipyn o gysur, felly . . . dim dyna ddudoch chi? . . . (*dim ateb. Saib*) O sylciwch 'ta, i'r diawl (*saib hir eto*). Ylwch, os dylia rhywun sylcio, fi ydio . . . fi sy' wedi cael 'y ngwneud!
WILIAS:	Be' ti'n feddwl, 'gwneud'?
Now:	Wel, mi ydwi—'ngwneud yn bosal hefyd.
WILIAS:	Yn bosal?
Now:	Yn bosal—'nghamarwain ar hyd y daith.
WILIAS:	Camarwain pwy? Mi wnest gydsynio'n syth.
Now:	Ond nid i hyn—wnes i rioed gydsynio i ddwad i rwla fel hyn, naddo? Tŷ ddudoch chi, Wilias, a waeth i chi heb a gwadu . . . "Di prynu tŷ bach dela rioed yn y wlad' . . . dyna'ch geiriau chi— 'tŷ tawal, mhell o gyrraedd pawb'.
WILIAS:	Mae e o gyrraedd pawb—faint gerddon ni o'r dre yna nawr—faint gerddon ni? . . . tair milltir o leia.
Now:	'Da chi'n deud wrtha i . . . ond ma' sens ym mhopeth 'toes—tair milltir ar 'y mhenaglinia bron . . . ddudoch chi ddim 'i fod o ar dop mynydd naddo . . . ddudoch chi ddim mo hynny. Sut da ni'n mynd i gael bwyd a ballu yma—'dwi'n gofyn i chi . . . be' tasan ni'n mynd yn sâl a isio doctor?
WILIAS:	Pwy sy' moen doctor? (*Wedi ei gynhyrfu*).

17

Now:	Neb rwan—ond ma' pethe'n digwydd ond ŷn nhw?
WILIAS:	Fel beth—be' ti'n awgrymu?
Now:	Ond ma' pawb isio doctor weithia—ffliw . . . pendics!
WILIAS:	(*Saib hir*) Mi ddaw doctor i rywle heddiw os bydd rhaid.
Now:	'Falla hynny, ond erbyn iddo fo gyrraedd, mi fasan ni wedi cicio'r bwcad . . . a 'na chi gythral o g'nebrwng fasa 'na wedyn . . . (*mae'n gwenu*) . . . o leia mi fasa'r arch yn mynd lawr dan 'i stêm 'i hun. (*Wilias yn gwenu*) Ar gythral o spid hefyd! (*Wilias yn chwerthin*) A'r person yn ista arni gamfa led 'Ride 'em cowboy!' (*Mae'r ddau yn chwerthin yn uchel*) Trwy'r grug fel Masarati —nes bysa'r defaid yn sgrealu i bob man. (*Chwerthin yn afreolus yn awr*) . . . Na fo, 'da chi'n gweld pa mor ddigri 'dio . . . Ylwch, wn i be wnai hefo chi . . . mi roswn i yma heno i gael 'n cefna atan—a fory awn i chwilio am le bach arall.
WILIAS:	(*Difrifol a phryderus eto*) Be' ti'n feddwl 'lle bach arall' . . . ti'n meddwl mod i'n graig o aur neu rywbeth?
Now:	Y?
WILIAS:	Sut cawn ni le arall . . . lle cawn ni'r arian i brynu lle?
Now:	Wel . . .
WILIAS:	(*Yn gostwng ei lais eto, a siarad yn dawel—fel seiciatrydd yn siarad â'r claf*) Dyna dy ddrwg di, Now bach . . . 'dwyt ti byth yn meddwl am bethe fel hyn, ti'n gweld—ma' rhaid i *mi* wneud . . . meddwl dros y ddau ohonon ni . . . be' fydde wedi digwydd i ti onibai mod i'n trefnu pethe a gofalu amdanat ti? . . . gofalu dy fod ti'n cael ware teg . . . e?

Now:	(*Yn euog bron yn awr*) 'Dwi'n gwbod hynny, Wilias.
WILIAS:	'Doedd neb arall yna'n deall nacoedd—dim ond fi.
Now:	Mi o'n inna'n gwatiad chitha hefyd, Wilias . . . 'da chi'n cofio'r cochyn diawl hwnnw'n trio bod yn glyfar hefo chi?
WILIAS:	Cofio'n iawn ngwas i.
Now:	Mi afllis i yno fo gerfydd i sgrepan a'i ysgwyd o— mi faswn i wedi i dagu o'n sych. (*Mae'n cynhyrfu'n arw rwan*) . . . i falu fo'n blydi dipia mân . . .
WILIAS:	Mi wn i 'ngwas i . . .
Now:	I wasgu fo'n slwts . . .
WILIAS:	Mi wn i ngwas i . . . mi wn i . . . 'da ni'n deall 'n gilydd ti'n gweld . . . 'does neb arall . . . rydy'n ni'n lwcus o'n gilydd . . . fe drefnodd Duw inni gyfarfod ti'n gweld . . . a ma' rhaid i ni sticio 'da'n gilydd nawr trwy ddŵr a thân.
Now:	Trwy ddŵr a thân, Wilias!
WILIAS:	Dyna pam rwy'n disgwyl iti fod yn gefn imi nawr —peidio 'nghicio i pan rwy i lawr . . . peidio troi dy gefn arna i ar yr awr dywyll yma'n fy hanes i.
Now:	(*Methu deallt*) Awr dywyll?
WILIAS:	Dywyll iawn machgen i . . . mae 'na bobol ddrwg iawn yn y byd ti'n gweld . . . pobol yn cymryd mantais arna i.
Now:	(*Gwylltio*) Pwy . . . pwy ydy' nhw, dudwch wrtha i? . . .
WILIAS:	Y dyn werthodd y lle 'ma imi!
Now:	E?
WILIAS:	Mi prynis i o gyda phob ewyllys da, ti'n gweld . . . disgwyl cael gwerth fy arian—ond dyma be ges i . . . nhwyllo!

Now: Be' da' chi'n feddwl, twyllo?

WILIAS: Palas bach ddwedodd o—sut gwyddwn i ma' lle fel hyn oedd o?

Now: 'Da chi rioed yn deud wrtha i na welsoch chi rioed fa'ma o'r blaen 'ta? . . .

WILIAS: Ymddiried ynddo fe . . .

Now: I brynu o, heb weld be' oeddach chi'n gael?

WILIAS: Fe sicrhaodd fi!

Now: Ond be ddaeth dros y'ch pen chi? . . . 'da chi'n gwybod sut ma' nhw . . . da chi'n gwbod . . .

WILIAS: Digwydd taro arno fo wnes i a chodi sgwrs fach . . . mi welodd yn syth mod i'n wahanol i'r gweddill ac fe ddechreuon ni siarad am . . . bethe . . . pethe pwysig . . . Dyna pryd dwedais i wrtho am 'y mreuddwyd i . . . prynu lle bach tawel mhell oddi wrth bawb . . . lle bach i ti a fi—i gael llonydd am byth . . . ymhell o'u cyrraedd nhw. 'Mae gen i'r union le' medda fe . . . 'delfrydol . . . am bris teg hefyd' . . . mi rois i'r arian yn 'i law o'n syth . . . (*Mae'n edrych yn synfyfyriol i'r gwagle o'i flaen*).

Now: Ond pam na fasach chi'n mynnu gweld y lle? . . . roedd ganddoch chi hawl i hynny . . .

WILIAS: 'Roedd . . . 'roedd hi'n siwrna mor bell, ti'n gweld . . . a'r dyn mor onest yr olwg . . . (*Mae'n ansicr braidd yn awr*).

Now: Gonast o ddiawl!

WILIAS: Rwy'n methu deall y peth . . . fel arfer 'rwy'n bur dda ar bwyso a mesur cymeriad rhywun, ond mi fethais i 'da hwn. (*Saib hir yn awr.*)

Now: (*Fel petai'n cael syniad sydyn*) 'Falla na ddaru chi ddim!

WILIAS: Beth?

20

Now:	Methu! . . . 'falla na' ddaru chi ddim methu . . . 'falla ma' nid hwn di'r lle . . . 'falla'n bod ni'n lle rong.
WILIAS:	Na, hwn yw e, Now bach . . .
Now:	Ond 'doedd y goriad ddim yn ffitio . . . 'da ni'n lle rong yn saff i chi—mi o'n i'n ama gynna—lle ma fo?
WILIAS:	Lle ma' beth?
Now:	Y goriad 'na—dowch imi weld o.
WILIAS:	(*Mynd i'w boced a nôl y goriad*) Waeth i ti heb ddim, Now, hwn ydio. (*Mae'n rhoi'r agoriad i Now.*)
Now:	(*Yn rhedeg at y drws*) Pam na' neith o agor 'ta. (*Mae Wilias yn mynd gydag e. Mae Now yn rhoi'r allwedd yn y clo.*)
WILIAS:	(*Yn edrych ar y llawr*) Dyma be' sy' o'i le, ti'n gweld—yr ysgol yma . . . ma' hon wedi wejio'n 'i erbyn o . . . aros di funud. (*Mae Wilias yn symud yr ysgol*) Ceisia 'i agor e'n awr. (*Mae Now yn agor y drws yn rhwydd. Mae saib fechan fel ag y mae Now yn rhythu ar y drws agored.*)
Now:	Y cythral sâl iddo fo—mae o wedi 'ch gneud chi'n bosal, Wilias—cinc yn y diawl! (*Mae'n edrych o gwmpas y lle unwaith eto*) Drychwch ar y lle— drychwch ar y nialwch sy' 'ma . . . ysdol! . . . be' gythral ma' isio ysdol ar ben mynydd . . .?
WILIAS:	O, ma' hynny'n . . .
Now:	(*Yn cicio'r bath*) A be' gythral 'di hwn?
WILIAS:	Bath!
Now:	Bath? . . . Bath? . . . wel, 'na chi blydi hurt.
WILIAS:	Pam?
Now:	Wel, wel be' gythral ma' isio bath ar ben mynydd?
WILIAS:	Beth mae bath yn dda'n rhywle?
Now:	Ar ben mynydd?

21

WILIAS: Mi ddrewi di'n fan'ny hefyd, wyddost ti, os na folchi di. (*Mae'r ddau yn dechre chwerthin, etc.*)

Now: Reit dda rwan, Wilias . . . wir dduw! . . . (*Mae'n gweld y siswrn cneifio*) . . . a be' oedd o'n 'neud hefo hwn 'ta—torri gwinadd 'i draed? (*Mae'n gafael yn y siswrn ac edrych arno.*)

WILIAS: (*Yn dal i chwerthin*) Falle wir.

Now: Be' ydio d'wch?

WILIAS: Gwelle!

Now: Y?

WILIAS: Siswrn cneifio ngwas i—torri gwlân . . . ti ddim yn gweld—bugail oedd o.

Now: Bugail? . . . bugail ddim yn gall!—alla i ddim meddwl am ddim byd gwaeth. (*Mae'n edrych ar yr ysgol*) . . . a mi fyddwch chi'n deud nesa' bod ganddo ddefaid uffernol o dal.

WILIAS: Sut?

Now: Fel eliffantod . . . mi oedd isio'r ysdol yma i ddringo i'w penna nhw. (*Mae Wilias yn cael pwl o chwerthin eto, ac y mae Now bob amser yn manteisio ar unrhyw gyfle i wneud i'w gyfaill chwerthin*) Rhoi hon yn erbyn 'u senna nhw. (*Mae'n rhoi'r ysgol yn erbyn y wal*) Dringo dwy lath . . . (*Mae'n dringo'r ysgol*) . . . a'u trimio nhw reit foel o gwmpas 'u tina.

WILIAS: (*Bron yn sâl wrth chwerthin*) Bydd ddistaw yn enw popeth.

Now: Tunnall o wlân o bob dafad . . .

WILIAS: Paid . . .

Now: A lorri Astons i gartio fo i ffwrdd.

WILIAS: Paid Now bach, rwy' bron â byrstio. (*Mae Now yn chwerthin 'i hunan yn awr. Mae Wilias yn cael pwl o beswch.*) Gwatiwch chwythu gasget Wilias. (*Mae Now yn curo cefn Wilias*) 'Na chi.

WILIAS:	(*Yn dod ato 'i hun*) O mam bach . . . ti'n un da am sbort, Now bach.
Now:	(*Mae'r wên yn diflannu fel mae'n sylweddoli rhywbeth*) Sut gwyddech chi?
WILIAS:	Sut gwyddwn i beth?
Now:	Bugail—sut gwyddech chi ma' Bugail oedd o?
WILIAS:	Wel . . . (*Mae'n oedi eiliad*) . . . mi ddwedodd wrtha i debyg gen i . . . a 'drycha ar y lle . . . mae'n ddigon hawdd dweud—tŷ bugail yw e— mae'n amlwg.
Now:	'Da chi'n deud!
WILIAS:	Drycha! (*Mae'n gafael yn yr ysgol ac yn dringo i fyny'r daflod*) Dere i fyny i fan hyn. (*Mae Now yn dringo ato*) Agor hwnna!
Now:	E?
WILIAS:	Y ddôr fach yna—tu ôl iti yn y mur.
Now:	(*Yn troi i edrych*) Diawch—'nes i ddim sylwi ar honna. (*Mae'n agor y ddôr i ddangos ffenestr fechan yn y mur—ond nid oes gwydr arni— dim ond bwlch ydyw*) Ffenast wir Dduw!
WILIAS:	Dim ond mewn lle Bugail ma' pethe fel hyn ti'n gweld—mi alle gadw llygaid ar ei braidd trwy'r agoriad yna, a hynny heb orfod symud cam o'r lle yma—i'r dim ar ddiwrnod glawog.
Now:	Clyfar gebyst, Wilias.
WILIAS:	Ac ar ddiwrnod clir, mi elli weld reit lawr i'r dre . . . yr hewl fel pedol ceffyl (*Mae Now yn troi i edrych arno'n amheus*) . . . a gyda 'sbienddrych go dda, fe elli ddweud beth yw'r amser ar gloc y farced.
Now:	Ylwch, Wilias, dwi ddim yn licio hyn o gwbl.
WILIAS:	Be' ti'n feddwl?
Now:	'Da chi newydd ddeud wrtha i na fuoch chi rioed yma o'r blaen—sut gythral da' chi'n gwbod 'ta fod y lôn yna i lawr fan'cw fel pedol?

WILIAS: (*Fel petai ar ei wyliadwriaeth yn awr*) Wel . . .
mi cerddon ni hi'r pnawn yma o'ndo fe . . . fe
welaist fel finne.

NOW: Ond beth am y cloc . . . Y? Sut gwydde chi am y
cloc?

WILIAS: (*Yn oedi am amser*) Be' sy'n bod arnat ti, Now
Bach? (*Mae'n eistedd ar lawr y daflod gyda'i
draed yn hongian drosodd i wynebu'r gynulleidfa*).

NOW: Dudwch wrtha i, Wilias—dwi ddim yn un i . . .

WILIAS: 'Stedda fan hyn 'da fi.

NOW: Na—dwi am gael gwybod—'di hwn ddim mo'r
tro cynta' imi'ch dal chi . . .

WILIAS: Fe ddwedodd wrthai sbo, wrth imi sgwrsio 'da
fe'r diwrnod hwnnw—brolan y lle—canu 'i glod-
ydd o. Falle fod o'n mestyn chydig—ond dyna
ddwedodd e.

NOW: (*Ar ôl ysbaid amheus*) 'Da chi'n siŵr?

WILIAS: Wrth gwrs mod i . . . dere nawr, stedda fan hyn
. . . (*Yn dangos lle iddo wrth ei ochr ar y platfform*)
. . . ma' 'da fi un dda nawr . . . (*Nid yw Now yn
symud*) . . . dere, ma' hon 'da'r ore rioed . . .

NOW: (*Yn symud ato'n araf*) Ma' gas gen i gael 'y
nhwyllo, Wilias . . . a 'da chi wedi deud clwydda
wrtha i o'r blaen. (*Mae'n eistedd wrth ei ochr.*)

WILIAS: Ti'n barod?

NOW: 'Sgin i fawr o fynadd rwan . . . (*Mae wedi pwdu
braidd.*)

WILIAS: Dere bachan. (*Mae'n rhoi ei law am ysgwyddau
Now*) . . . os mets . . . ni ddim yn mynd i adael i
rhyw faniach bethe ddod rhyngddon ni. Edrych.
(*Mae'n syllu i gyferiad y gynulleidfa*) . . . Ti'n
gweld nhw?

NOW: Pwy?

24

WILIAS:	Rheina manco! . . . cannoedd ohonyn nhw'n rhythu arnon ni.
Now:	(*Yn dechrau cael diddordeb yn chwarae Wilias yn awr*) Cannoedd?
WILIAS:	O bob lliw a llun—methu deall be' ni'n wneud yma, ond wnan ni ddim symud iddyn nhw. (*Mae'n codi ei lais ac yn cyfarch ei gynulleidfa ddychmygol*) WNAN NI DDIM SYMUD I CHI!
Now:	Na wnawn. (*Ond heb fawr o argyhoeddiad eto gan nad yw'n rhy siŵr o ystyr y chwarae.*)
WILIAS:	(*Wrth ei gynulleidfa*) Ddown ni ddim lawr nes cawn ni'n hawlie—'taen ni'n gorfod aros yma tan ddydd y Farn . . . (*Mae'n edrych ar Now ac yn sylweddoli ei fod yn y niwl braidd*) Ar ben to'r eglwys y'n ni, ti'n gweld.
Now:	To'r eglwys?
WILIAS:	Ie—protest!—ni wedi dringo i fyny yma i brotestio . . . deall?
Now:	O—protest . . grêt, ia protest.
WILIAS:	A ma'n nhw i gyd manco yn edrych arnon ni. (*Mae'n cyfarch ei dyrfa eto*) Ni yma ar egwyddor.
Now:	(*Llawn brwdfrydedd yn awr gan ei fod yn deall y sefyllfa ddychmygol mae Wilias wedi ei gosod*) Ydan—ac yma byddan ni nes cawn ni chwara teg.
WILIAS:	(*Wrth ei fodd yn awr fod Now yn hapus unwaith eto*) Ac mi gewch ein saethu ni cyn y down ni i lawr.
Now:	Cewch—'da ni'n barod i hynny—'da ni'n barod i fynd i'r pen.
WILIAS:	Ni wedi blino ar ryw gildwrn yn awr ac yn y man—o hyn allan, ni moen y cyfan.
Now:	Yr holl gabwj—(*Mae'n troi at Wilias*) . . . Be' 'da ni isio, Wilias?

WILIAS: Rhywbeth fynnot ti, Now bach—rhywbeth fynnot ti!

Now: Hollol! (*Mae'n troi i gyfarch ei gynulleidfa eto*) . . . près . . . arian . . . llond trol ohonyn nhw.

WILIAS: Cyflog teilwng am ddiwrnod gonest o waith.

Now: (*Wrth Wilias*) Ond, diawl, Wilias, 'da ni ddim isio gweithio.

WILIAS: (*Saib fer i feddwl*) Dim gwaith i neb dros bymtheg.

Now: Dim gwaith! Dim gwaith . . . dim gwaith . . .

WILIAS: (*Yn ymuno gydag ef*) Dim gwaith . . . dim gwaith . . . dim gwaith . . . (*Mae'n edrych ar Now tan wenu*) . . . ti'n teimlo'n well yn awr o'nd wyt ti . . . 'roeddwn i'n gwybod fod gen i un dda'r tro yna.

Now: Mi oedd honna'n un dda, Wilias.

WILIAS: (*Wedi ei blesio'n arw*) Mi allwn ni gael digon o hwyl fan hyn, ti'n gwybod.

Now: (*Yn meddwl am rywbeth yn sydyn*) Hei! . . . ma' gin inna un rwan hefyd. (*Mae'n neidio ar ei draed.*)

WILIAS: Reit 'ta. (*Yn gwneud osgo i sefyll yr un modd.*)

Now: Na . . . 'steddwch chi. (*Wilias yn eistedd eto*) . . . na, nid fa'na . . . fan'cw. (*Mae'n pwyntio at y llawr*) . . . lawr yn fan'cw.

WILIAS: Fel mynni di. (*Mae'n dringo i lawr yr ysgol.*)

Now: A fi'n fan hyn. (*Mae'n twtio chydig ar ei wallt, etc.*) Nefi, ma' hon yn un dda hefyd, Wilias.

WILIAS: (*Yn edrych i fyny arno o'r gwaelod erbyn hyn gyda brwdfrydedd*) Barod!

Now: Na, steddwch yn y bath 'na.

WILIAS: (*Yn gwneud*) Fan hyn?

Now: Gwynebwch fi, Wilias. (*Mae Wilias yn troi i wynebu Now gyda gwên fawr ar ei wyneb*) Annwyl

26

gyfeillion, (*Mae Now yn awr yn dechrau dyn-wared pregethwr*). Mae'r testun heno o'r drydedd bennod o lyfr y cwningod a'r adnod 'gosa i'r wal...

WILIAS: (*Mae'r wên yn diflannu yn awr*) Na, Now, paid...

Now: Ein tad yr hwn wyt yn y daflod,
Tyrd lawr mae'r uwd yn barod...
(*Yn mynd i hwyl.*)

WILIAS: (*Ar ei draed yn awr wedi cynhyrfu dipyn*) 'Wi ddim am wrando...

Now: (*Yn cymryd dim sylw ohono*) Bara llaeth mewn powlan bren...

WILIAS: Paid!

Now: (*Mewn hwyl dda yn awr*) Yn oes oesoedd, Amen!

WILIAS: (*Yn gweiddi'n gynddeiriog yn awr*) Rho'r gora iddi.

Now: (*Mae Now yn peidio ac yn edrych yn syn arno. Mae ysbaid fer o ddistawrwydd*) Be' sy'?

WILIAS: Dim o hynna... (*Mae dan dipyn o deimlad yn awr*)... 'Wi ddim am gael dim o hynna—deall?

Now: (*Yn sylweddoli yn awr fod Wilias mewn tipyn o stad*) Ond gêm, Wilias bach, hwyl!

WILIAS: Ond nid hynna—rhywbeth ond hynna!

Now: Pam?

WILIAS: Ma' rhaid inni barchu rhai petha... ti ddim yn gweld... allwn ni ddim fforddio i' insyltio fe.

Now: (*Gyda her*) Pwy?

WILIAS: (*Ar ôl ysbaid fer*) 'Dwn i ddim Now bach... ond ... y peth... rwbath... mâs fan'na'n rwla... tu ôl i bopeth.

Now: Straeon Tylwyth Teg!

WILIAS: Gwylia be' ti'n ddeud.

Now: Wel, 'dwi'n ddeud o... a mi dduda i o eto hefyd ... 'dwi ddim yn coelio hynna yno' fo! (*Mae'n clecian ei fys a'i fawd.*)

27

WILIAS: Fyddi di ddim ofn iddo fe dy daro di'n farw yn y fan a'r lle?

Now: Na fydda—am 'mod i'n gwbod na tydio ddim yna.

WILIAS: (*Yn fwy addfwyn a thosturiol yn awr*) Ond ma'n rhaid fod 'na rywbeth 'ngwas i . . . ma' rhaid fod 'na rywbeth wedi dy greu di a minnau.

Now: Mi dduda i wrthach chi be' greodd fi, Wilias, mi dduda i wrthach chi'n union . . . pwniad sydyn yn nhin wal un noson . . . y fodan yn llyncu pry, a'r co yn 'i heglu hi . . .

WILIAS: Ma' hynny'n digwydd yn amal 'ngwas i . . . (*Saib hir.*)

Now: Os na fo ddaru fi Wilias—y peth 'ma da chi'n sôn amdano fo . . . (*Saib*) . . . chafodd o fawr o hwyl, naddo?

WILIAS: Mae'n anodd deall weithie . . .

Now: (*Pendant yn awr*) 'Sdim byd i ddallt . . . (*Saib hir yn awr fel ag y mae'r ddau yn syllu i'r gwagle o'u blaen*) . . . Chafodd o fawr gwell hwyl hefo chithe chwaith, naddo?

WILIAS: (*Yn ddig braidd*) 'Sdim byd o'i le arna' i! Dipyn o straen, dyna i gyd.

Now: (*Yn dal i syllu'n fyfyrgar*) Cythral o straen ddwedwn i (*Saib hir o ddistawrwydd yn awr—gellir clywed awyren yn rhuo uwchben a phasio'n gyflym. Mae'r ddau yn edrych i fyny.*)

WILIAS: Dyna pam mae'n rhaid i ni, Now bach. (*Wedi ei gynhyrfu.*)

Now: Rhaid be'?

WILIAS: Cadw'n glir oddi wrthyn nhw—oddi wrth bawb a phopeth . . . yn rhydd o'u crafange nhw . . . (*Mae'n edrych o gwmpas y caban*) . . . Fan hyn ni'n dau . . . mi fyddan ni'n saff fan hyn.

28

Now:	(*Yn codi, a gafael yn ei bac*) Na, . . . dim fan hyn, Wilias, ma' hynna'n bendant!
Wilias:	Ond Now . . .
Now:	Na . . . waeth i chi heb ddim . . . 'falle na ches i rioed gartra y gallwn i ddweud ma' fi oedd pia fo . . . ond 'dwi wedi bod mewn llefydd da . . . llefydd glân . . . graenus . . . Ma' gin i'n safone, wyddoch chi.
Wilias:	A mi fydd graen fan hyn hefyd, Now—safon . . .
Now:	Waeth i chi heb na malu. (*Mae'n gwneud i fynd*) . . . Dowch!
Wilias:	Cicia fi pan 'rwy' lawr 'ta.
Now:	Be san'na chi?
Wilias:	Bradwr! . . . Cyllell yn fy nghefn i . . .
Now:	Peidiwch â phaldaruo wnewch chi . . .
Wilias:	Helpa fi 'ta . . . helpa fi i geisio cael fy arian yn ôl.
Now:	'Dwi'n gaddo hynny i chi. O, dwi'n gaddo hynny . . . mi leinia i'r diawl pan ga'i afael yno fo . . .
Wilias:	Chei di byth . . . dyna'r pwynt . . . chei di byth afael ynddo fo.
Now:	Be' 'da chi'n feddwl?
Wilias:	Smo fe ar gael ti'n gweld . . . ma' fe . . . ma' fe di mynd bant i . . . i Awstralia. (*Mae'n amlwg mai esgus tila yw hyn.*)
Now:	Ostrelia?
Wilias:	Mi aeth yn syth yno ar ôl setlo'r fargen.
Now:	Wel, sut gythral 'da chi'n disgwl cael eich pres yn ôl 'ta?
Wilias:	Cwmoni dipyn ar fan hyn . . .
Now:	Ylwch! 'Dwi wedi deud wrtha chi . . .
Wilias:	Na, aros funud—gad imi gwpla! 'Taen ni'n ceisio gwerthu hwn nawr—fel ag y mae e—fydden ni'n cael cwsmer?

29

Now:	Byth dragywydd.
WILIAS:	Iawn! Ond beth 'taen ni'n gweithio arno fe—wneud e lan—atgyweirio'r lle?
Now:	Y?
WILIAS:	Aildrefnu pethe—rhoi dipyn o sglein arno fe—be wedyn tybed? Be' wedyn?
Now:	'Da chi'n meddwl . . .?
WILIAS:	'Wi'n gwybod Now bach . . . fe gaem gwsmer yn syth . . . a chael mwy na'n harian yn ôl.
Now:	Ma' gynnoch chi bwynt fa'na, Wilias.
WILIAS:	(*Yn gwenu yn awr*) Wrth gwrs fod gen i . . . proffit sylweddol! . . . digon i brynu lle bach gwell —lle teidi.
Now:	'Da chi'n iawn, Wilias—mi brynith y Saeson yma rwbath.
WILIAS:	Aros 'da fi 'ta. Aros tan hynny . . . fydd y ddau ohonon ni fawr o dro a chael trefen arno fe.
Now:	(*Saib i feddwl*) Faint gymrwn ni da chi'n feddwl?
WILIAS:	Rhyw fis ne' ddau!
Now:	Mis ne ddau?
WILIAS:	Llai! Wythnos ne ddwy os torchwn ni'n llewys.
Now:	(*Yn edrych o gwmpas*) Dipyn o gontract!
WILIAS:	Ond werth o Now—meddylia . . . lle bach teidi . . . palas bach i ni'n dau!
Now:	Ag nid rhyw gatch cwningan fath â hwn?
WILIAS:	Now . . . dishgwl . . . 'wn i be' wnai 'da ti . . . (*Saib a gwên*) . . . mi gei di ddewis lle inni tro nesa'.
Now:	Wir?
WILIAS:	Lle bynnag mynni di, Now bach. Lle bynnag mynni di.
Now:	Bargan! (*Mae'n rhoi ei gês i lawr.*)
WILIAS:	(*Eisiau plesio yn awr*) Mi gei di'r gwely yma—fe gysga i ar lawr.

Now:	Ma hi'n oer uffernol yma cofiwch.
WILIAS:	(*Edrych i fyny at y ffenestr fach*) Ho'nco sy'n gored. (*Mae'n dringo'r ysgol.*)
Now:	(*Edrych ar y stof*) 'Di hon yn gweithio tybad?
WILIAS:	(*O ben y daflod*) Wrth gwrs 'i bod hi . . . a ma' digon o goed o gwmpas. (*Mae cochni'r machlud ar ei wyneb fel y mae'n sefyll o flaen y ffenestr fach*) Dyna i ti fachlud, Now bach—ble cei di well golygfa na hynna—dwed wrthai?
Now:	(*Yn chwilio am ddarnau o goed o gwmpas yr ystafell*) 'Di hwn yn da i rwbath? (*Pigo i fyny rhyw hen focs.*)
WILIAS:	(*Edrych allan drwy'r ffenestr*) Ma' rhywbeth gobeithiol mewn machlud Chwefror—rhyw add-ewid at yr haf . . . rhyw sicrwydd 'i fod o yno o hyd . . . (*Mae'n cau'r ffenestr, ac y mae'r ystafell yn tywyllu cryn dipyn.*)
Now:	(*Yn sylweddoli ei bod hi wedi tywyllu*) Ma' hi'n twyllu. (*Mae chydig o bryder yn ei lais ac y mae'n edrych i fyny at y to*) 'Sdim lectric yma . . . (*Mae'n edrych o gwmpas yr ystafell gydag ychydig o banig.*)
WILIAS:	(*Yn dod i lawr yr ysgol*) Sut?
Now:	Lectric! 'Sdim bylb, na swits yn unlla 'ma.
WILIAS:	Nacoes, ond mater bach . . .
Now:	Ond Wilias, mi fydd hi'n dwyll bitch yma . . .
WILIAS:	Paid â chynhyrfu . . .
Now:	Ond ma' rhaid imi gael gola—da chi'n gwbod hynny . . . ma' rhaid imi gael gola—ma' rhaid i mi . . .
WILIAS:	(*Yn rhuthro at y llusern*) Ma' da ni ole, Now bach. (*Mae'n dal y llusern i fyny*) Edrych!
Now:	Neith hi weithio?

WILIAS: Wrth gwrs gwneith hi (*Mae'n ysgwyd y llusern wrth ei glust i edrych oes yna olew ynddi.*)

Now: Paraffîn?

WILIAS: Digon am nawr. (*Mae'n mynd ati i dano'r llusern*) . . . Fyddwn ni ddim winced yn cael dipyn o ole ar y mater.

Now: Ond fydd yna ddigon 'di'r pwynt—fydd yna ddigon i bara trw'r nos—ma' rhaid imi gael gola trw'r nos, dalltwch!

WILIAS: (*Yn tanio'r llusern*) 'Na ni . . . i'r dim. (*Mae'n ei chodi fel petai wedi cyflawni rhyw wrhydri mawr*) Fel leitws Mwmbwls—be' ti'n weud?

Now: (*Yn gwenu nawr*) Duwcs, da Wilias, lamp glyfar!

WILIAS: Chei di ddim byd fel hyn heddi wyddost ti . . .

Now: Ond faint parith hi di'r peth . . . faint parith hi, Wilias . . . ma' petha fel hyn yn llyncu paraffîn w'chi.

WILIAS: Amynedd! (*Mae'n rhoi'r llusern ar y gist ac yna cerdded at y cwpwrdd yn y gornel. Mae'n agor y cwpwrdd a thynny twmffat bychan a photelaid o baraffîn allan*) Ti'n gweld? Digon o stoc am wyth-nos o leia'.

Now: (*Saib*) Sut gwyddach chi?

WILIAS: Sut gwyddwn i beth?

Now: Bod rheinna'n fa'na rwan?

WILIAS: (*Yn petruso'n awr*) Wel . . . mi . . .

Now: (*Wedi gwylltio'n awr*) Mi aethoch chi'n syth yna, Wilias . . . mi aethoch chi'n syth i fa'na rwan.

WILIAS: Wel . . . 'roedd synnwyr yn dweud . . .

Now: Roeddach chi'n gwbod—gwbod yn union ble i roid ych llaw arnyn nhw.

WILIAS: Wel . . . man'na bydde pethe'n cael eu cadw . . .

Now: Peidiwch â nhwyllo i Wilias—'da chi'n palu clwydda.

32

WILIAS:	Disgwyl, Now bach . . .
Now:	'Nhwyllo i yn 'y nanadd—meddwl mod i'n blydi twp.
WILIAS:	Nawr gwranda . . .
Now:	'R un peth gynna hefo'r cloc yna . . . mi o'n i'n gwbod . . . 'da chi wedi bod yma o'r blaen do? —'Da chi wedi bod yma o'r blaen?
WILIAS:	(Ar ôl saib) Do!
Now:	(Mynd am ei ges eto) Reit! 'Dwi wedi cael llond bol arnoch chi—twyllo . . . stilio . . . 'da chi'n 'r un fath â'r gweddill ohonyn nhw!
WILIAS:	Ond 'doeddwn i ddim . . .
Now:	'Dwi ddim isio clwad mwy o'ch clwydda chi . . .
WILIAS:	Ma' rhaid iti . . . ma' rhaid iti wrando . . .
Now:	'Dwi ddim yn mynd i wrando.
WILIAS:	Ond y gwir y tro hwn—'tai Duw yn fy lladd i yn y fan . . . nawr ti'n gwybod na ddwedwn i mo hynna—wedwn i byth mo hynna onibai mod i o ddifri . . .
Now:	'Dio ddim ots gen i bellach.
WILIAS:	Ond 'doeddwn i ddim am iti fynd, ti'n gweld— 'doeddwn i ddim am iti ngadael i . . . er dy les dy hun.
Now:	Fy lles i?
WILIAS:	Ia . . . rwy'n gwybod am fan hyn ti'n gweld . . . ma' rhywbeth arbennig ynghylch yr hen dŷ bugail yma . . . gwahanol i bob man arall . . . pur . . . llesol. Mi prynais i o cynted y gwelais i o ryw flwyddyn yn ôl.
Now:	Wel, ma' isio chwilio'ch pen chi 'ta?
WILIAS:	Fues i 'rioed cyn hapused yn unlle . . . dim byd yn pwyso . . . dim byd yn gwasgu . . . llonyddwch o'r diwedd.
Now:	Pam aethoch chi o'ma 'ta?

33

WILIAS: *(Saib)* Ofn!

Now: Wel, na fo—a 'da chi 'rioed yn disgwl i mi . . .

WILIAS: Nid ofn fel'na Now bach—nid ofn y 'pethe' . . . ond . . . ofn . . . *(Saib i feddwl)* . . . mynd, ti'n gweld.

Now: Y?

WILIAS: Mi ddeffris i ar y gwely yna un noson yn chwys stecs . . . 'doeddwn i ddim yn deall be' oedd o'i le am chydig . . . yna fe trawodd fi . . . beth tawn i'n mynd yn fy nghwsg . . . fan hyn fy hunan . . . be' tawn i'n *marw* a neb yn gwybod . . . be wedyn?

Now: Wel, dyna'n union be' o'n i'n drio ddeud wrthach chi gynna . . .

WILIAS: Allwn i ddim aros yma wedyn, ti'n gweld, . . . ddim fy hunan . . . mi oedd rhaid i mi fynd . . . yn ôl . . . yn ôl yna atyn nhw.

Now: Nuthoch chi'n gall . . .

WILIAS: *(Gwenu yn awr)* Yna mi gwrddais â ti . . . a mi o'n i'n gwybod yn syth . . . dyna'r un, medde fi . . . 'rydyn ni'n deall ein gilydd i'r dim . . . fe gaiff Now ddod i fyw yna 'da fi . . . fe gaiff Now y fraint.

Now: Hy!

WILIAS: Ond 'roedd yn rhaid imi dy drin di'n ofalus, ti'n gweld . . . hyd yn oed dweud ambell i gelwydd i dy gael di yma.

Now: 'Ambell' dduoch chi?

WILIAS: A phan oeddet ti'n mynnu gadael gynne fach, mi ddwedais y peth cynta ddaeth i'm meddwl i . . . Awstralia! . . . er mwyn i ti aros . . . er mwyn iti weld drosto dy hun—profi!

Now: Wel, mi ydw i wedi gweld diolch yn fawr! *(Mynd at y drws.)*

WILIAS: Ti'n gwneud camgymeriad mwya dy oes!

Now:	Ma' croeso ichi ddwad hefo fi os 'da chi isio.
WILIAS:	(*Gweiddi*) Elli di ddim gwneud dy hunan—ma' hynny'n saff.
Now:	(*Gwyllt*) Be' 'da chi'n feddwl?
WILIAS:	(*Yn dawel*) Ti ddim 'r un fath â pawb arall, Now bach . . . ti'n gwybod hynny'n iawn.
Now:	(*Gwyllt hollol nawr*) 'Dwi'n gallach na chi co bach . . . nes i rioed gloi fy hun yn londri a byta sebon, naddo?
WILIAS:	(*Gwyllt*) Wnes i ddim byd o'r fath!
Now:	A rhedag i gapal yn noethlymun gorn!
WILIAS:	(*Yn gweiddi*) Celwydd!
Now:	A thorri 'ngarddyna' nes oedd y gwaed yn pistyllio. (*Gweiddi yn awr*) . . . Wnes i rioed dorri 'mlydi garddyrna' . . .
WILIAS:	Bydd ddistaw! Bydd ddistaw!
Now:	Pwy sy' ddim yn gall 'ta . . . pwy sy' ddim yn gall? (*Mae'n mynd allan gyda chlep ar y drws.*)
WILIAS:	(*Yn sgrechian*) Dos 'ta'r bastad . . .
	(*Mae Wilias yn eistedd i lawr fel petai wedi ymladd yn llwyr. Does dim sŵn yn unlle ond ambell i ddafad fynydd yn brefu yn y pellter. Mae Wilias yn dechrau wylo yn ddistaw. Ar ôl cyfnod hir o amser mae'r drws yn agor yn araf, a daw Now yn ôl yn edrych yn euog ac edifeiriol. Mae'n cerdded yn araf at Wilias ac yn rhoi ei gês i lawr.*)
Now:	Mae hi'n uffernol o dywyll tu allan yna, Wilias.
WILIAS:	(*Gwên fychan*) Ydi hi ngwas i? (*Nid yw'n troi ei ben i edrych arno.*)
Now:	(*Yn mynd i eistedd wrth ymyl Wilias*) Ydi!
WILIAS:	Paid â becso . . . mi fyddi di'n iawn fan hyn 'da fi. (*Mae'n rhoi ei law am ei ysgwydd. Fe dywyllir y llwyfan. Ar ôl ychydig eiliadau fe glywir Now yn dechrau canu 'Mae gen i dipyn o dŷ bach*

35

*twt' ac fe oleuir y llwyfan drachefn. Gwelwn fod
Now yn awr wedi tynnu ei got ac yn edrych gyda
rhyw fath o frwdfrydedd newydd ar ei amgylch-
edd. Tan ganu, mae Now yn adeiladu'r tŷ trwy
wisgo'r sgerbwd â'r parwydydd sydd ar y llawr.
Daw Wilias i mewn gyda dwy gadair, ac y mae
yntau hefyd yn rhoi rhywfaint o help i Now gyda'r
gwaith yma. Fe ddylai'r holl dŷ fod yn gyflawn
ar ôl rhyw ddau funud, ac y mae i fyny i'r cyn-
hyrchydd i ddyfeisio symudiadau slic (bron fel
dawns) i gyflawni hyn. Dim ond ffordd symbol-
aidd fydd y digwyddiad yma i ddangos fod y tŷ
wedi ei wella a'i atgyweirio dros gyfnod o amser
—gyda Now yn gwneud y rhan fwyaf o'r gwaith.
Ar ôl gorffen hyn mae Wilias yn mynd allan gan
adael Now ar ei ben ei hunan ar y llwyfan. Mae'r
mur cefn wedi ei beintio eisoes â melyn llachar ac
fe gyfyd Now bot o baent du i fynd i beintio'r
ffenestr.)*

Now: *(Yn canu wrth beintio'r ffenestr)* Bing a bong a
bing a bong a bing, bong, be . . . etc. *(Yn sydyn
mae'r brws yn llithro o'i afael ac yn gwneud
smotyn mawr du ar y wal felen)* . . . Damia!
*(Mae'n cael cadach ac yn ceisio sychu'r smotyn
du i ffwrdd—ond nid yw ond gwneud pethau'n
waeth)* . . . Damia ulw las . . . Oes 'na baent melyn
ar ôl 'ta? *(Mae'n edrych mewn bocs sy'n llawn o
duniau paent)* . . . du, glas, gwyrdd, coch . . .
(Mae'n gwylltio) . . . bob lliw ond blydi melyn . . .
(Mae'n meddwl) . . . do, mi orffenon ni'r melyn
. . . fi daflodd y tun . . . *(Mae'n edrych ar y marc
du ar y mur eto)* . . . be' wnai 'ta . . . be gythral
wna i? . . . *(Mae'n ymddangos fel petai'n cael
syniad)* . . . Aha! . . . *(Mae'n codi'r brws paent*

36

o'r tun, a chyda chryn dipyn o ddyfeisgarwch mae'n
troi y marc du yn rhan o lun pen a sgwyddau
merch. Mae'n rhoi ffrâm o gwmpas y cwbwl) . . .
Ti'n genius Now bach . . . briliant! (*Mae cnoc*
uchel ar y drws. Am funud mae'n cael tipyn o
ddychryn, ac yn brysio i'r ffenestr i edrych allan.
Daw gwên dros ei wyneb) . . . Wilias! (*Mae'n*
mynd at y drws ac aros) . . . Pwy sy' 'na?

WILIAS: (*Llais*) Sais!

Now: Pwy?

WILIAS: Sais! Mr. Hornby Gibson Smith!

Now: Grêt. (*Mae'n agor y drws tan wenu, gan wybod*
fod hwyl arall ar dro.)

WILIAS: (*Yn actio*) I understand you have a furnished
cottage for sale.

Now: Yes . . . oh, yes . . . come in (*Mae Wilias yn*
cerdded i mewn yn bwysig iawn ei osgo.)

WILIAS: Do you mind awfully if I look round the place?

Now: Certainly . . . with pleasure . . . (*Mae'n troi at y*
gornel lle mae'r llestri, y tebot, y tecell, etc.) . . .
This is the kitchen . . . as you can see, all mod
cons . . . hot and cold water throughout—all found.

WILIAS: Excellent!

Now: (*Yn pwyntio at y silff lle mae'r tacle safio, brws*
dannedd, drych, sebon a llian, etc.) And this is the
bathroom—open plan you see!

WILIAS: Ah! So adventurous (*Saib*) No toilet!

Now: Certainly—concealed in recess (*Mae'n agor cwp-*
wrdd bychan i ddangos pot siambar . . .) One bed-
room here . . . (*Yn pwyntio at un gwely*) . . . and
the other over there (*Yn pwyntio at y gwely arall*)
. . . Diñing room (*Lle mae'r bwrdd*) . . . Lounge
(*Lle mae'r cadeiriau*) . . . and the consyrfansi up
there (*Lle mae'r daflod.*)

37

WILIAS: How absolutely quaint.

NOW: Ah yes, I nearly forgot . . . (*Mae'n pwyntio at y stôf*) . . . Central heating throughout!

WILIAS: Wonderful . . . just absolutely delightfully wonderful.

NOW: I thought you'd like it.

WILIAS: (*Yn troi i edrych at y mur cefn lle mae Now newydd wneud y darlun*) Out of this world . . . I have never . . . (*Mae'n stopio pan wêl y darlun*) Be' gythral yw hwnna?

NOW: 'Da chi'n licio fo, Wilias? . . . Da chi'n licio fo?

WILIAS: (*Rhwng pwliau o chwerthin*) Arbennig ngwas i—arbennig. Dere â'r brws i mi. (*Mae Wilias yn tynnu llun sgwâr ar y mur*) Beth yw hwnna? (*Yr ochor arall i'r drws.*)

NOW: (*Saib fer o feddwl*) Ffenast!

WILIAS: Iawn! (*Mae nawr yn tynnu llun rhywbeth fel postyn hir ynghanol y ffenast tra mae Now yn craffu gyda diddordeb*) Beth yw hwnna ta?

NOW: (*Crafu ei ben*) Wn i ddim.

WILIAS: Giraff yn pasio'r ffenast (*Mae'r ddau yn chwerthin am ysbaid hir*) Mister! Name your price . . . I'll buy it—any price you want.

NOW: Na! (*Yn ddifrifol yn awr a gydag ychydig o banig yn ei lais*) 'Fiw i ni, Wilias . . . 'fiw i ni.

WILIAS: Beth?

NOW: (*Yn edrych o gwmpas y caban gyda rhyw fath o edmygedd parchus*) Mi oeddach chi'n iawn, da chi'n gweld . . . mi oeddach chi'n llygad 'ch lle.

WILIAS: (*Yn methu deall yn iawn beth sydd gan Now*) Oeddwn i?

NOW: Ma 'na . . . ma' 'na rwbath ynghylch y lle yma, Wilias . . . rwbath braf . . . neis! Rwbath . . . (*Mae'n methu dod o hyd i'r geiriau iawn i ddis-*

38

grifio'i deimladau) . . . Wnes i 'rioed deimlo fel hyn—o'r blaen felly—yn union fel hyn . . . dim cysgodion aflan . . . dim petha câs anghynnas. (*Mae'n cyffwrdd ochr ei dalcen â blaen ei fysedd*) . . . dim poena (*Saib*) . . . oes, ma' llonydd i gael fan hyn . . . (*Mae'n troi at Wilias gyda'r panig yn ei lygaid eto*) . . . 'Feiddiwn ni ddim gadael, Wilias . . . feiddiwn i ddim!

WILIAS: (*Yn gwenu arno'n dadol*) Mi wyddwn i, Now bach, mi wyddwn i'n iawn.

Now: Wnewch chi ddim gwerthu 'ta? Wnewch chi ddim gwerthu felly, na 'newch?

WILIAS: D'on i 'rioed wedi bwriadu gwneud, machgen i.

Now: (*Pigog nawr*) Be' 'da chi'n feddwl. Dyna ddudoch chi . . .?

WILIAS: Hynny ydi . . . wnes i 'rioed feddwl y bydde rhaid imi . . . roeddwn i'n gwybod, ti'n gweld . . . roeddwn i'n gwybod y byddet ti'n hoffi'r lle . . . ond taet ti isio, mi fyddwn wedi gwerthu'r cyfan 'bag a bagej' . . . ond mi wyddwn yn iawn na ddeua hi byth i hynny . . . rydan ni 'r un fath, Now bach . . . 'r un anian . . .

Now: (*Yn eiddgar*) Gawn ni aros yma 'ta?

WILIAS: Tra byddwn i Now bach.

Now: Gret! . . . (*Mae'n cerdded o gwmpas fel bachgen bach newydd gael anrheg*) . . . blydi gret! . . . (*Mae'n troi at Wilias yn ddifrifol eto*) . . . 'Dwi ddim isio cymryd mantais chwaith, cofiwch!

WILIAS: Ym mha ffordd?

Now: Wel . . . (*Saib*) . . . mi fydd rhaid imi . . . mi fydd rhaid imi gael talu am 'y lle.

WILIAS: Paid â siarad dwli!

Now: Na . . . na 'dwi'n mynnu hynny, Wilias—'nes i 'rioed fyw ar gefn neb.

39

WILIAS: Ond Now . . .

Now: Mi ga'i joban bach i lawr yn y dre' 'na (*Mae wyneb Wilias yn gweddnewid*) . . . rwbath ysgafn.

WILIAS: (*Gwyllt*) Wnei di ddim byd o'r fath!

Now: Rownd papur ne rwbath . . . ne gario post.

WILIAS: (*Gweiddi*) Wnei di ddim byd o'r fath . . . cael dy lygru ganddyn nhw—dy wenwyno.

Now: Mi ofala i am hynny . . .

WILIAS: (*Ar dop ei lais nawr*) Na! . . . Chei di ddim mynd yn agos atyn nhw . . . ti'n neall i . . . ddim yn agos. (*Mae Now yn edrych arno mewn syndod*) . . . P'run bynnag, nid fi sy' berchen e!

Now: Y?

WILIAS: Y tŷ yma! (*Mae'n cerdded at ei gês a'i agor*) Nid fi sy' berchen y lle!

Now: Nid . . . nid chi?

WILIAS: (*Yn agor y cês*) Nage.

Now: O'r Arglwydd . . . peidiwch â dweud wrthai . . . dim celwydd arall, Wilias . . . allai byth ddiodda . . .

WILIAS: 'Doedd e ond teg, ti'n gweld. (*Mae'n tynnu darn o bapur o amlen yn y cês.*)

Now: (*Yn eistedd i lawr fel petai wedi gildio'n llwyr*) Mi ddylwn i fod yn gwbod . . . 'da chi ddim hannar yna . . . (*Bron wrtho 'i hunan.*)

WILIAS: (*Yn dod â'r papur i Now*) Ti a fi.

Now: Y?

WILIAS: Edrych. (*Mae'n rhoi'r darn papur i Now*) Gweith-redoedd . . . nid fi sy' berchen o ti'n gweld, ond y ddau ohonon ni.

Now: Y ddau? (*Mae'n cymryd y gweithredoedd ac edrych arnynt.*)

WILIAS: Fe ges y cyfreithiwr i newid y gweithredoedd gwreiddiol . . . os oeddet ti am fyw yma 'da fi—yna—rhannu'r cyfan . . . bob peth!

40

Now:	(*Wedi ei syfrdanu'n awr*) Y cyfan?
Wilias:	'Doedd o ddim yn deg . . . 'roedd rhaid iti gael sicrwydd . . . 'fyddet ti ddim yn hapus heb rywfaint o sicrwydd . . . a beth petai rhywbeth yn digwydd i mi . . . be' wedyn . . . 'doeddwn i ddim am dy weld ti ar y clwt. (*Mae Now yn rhoi ei ben i lawr a dechrau wylo'n ddistaw*) Be' sy'n bod? (*Nid yw Now yn ateb*) . . . Now, bach . . . be' sy' ngwas i?
Now:	'Da chi rhy dda i mi, Wilias . . . rhy dda . . .
Wilias:	Dere nawr . . . (*Yn rhoi ei law am ei ysgwyddau i'w gysuro.*)
Now:	A finna . . . yn ama' . . . yn meddwl petha cas . . .
Wilias:	'Rŷn ni gyd yn euog o hynny weithie . . .
Now:	'Dwi ddim yn haeddu . . . alla i ddim . . . allai ddim derbyn, Wilias.
Wilias:	Ond ti'n gwneud cymwynas â mi, Now—elli di ddim gwadu hynny—ti sy'n rhoi.
Now:	Ond mi dala i—dwi'n benderfynol . . . mi dala i fy siar i chi.
Wilias:	Edrych ar y lle yma, Now—edrych arno fo . . . pwy sy' wedi gweithio yma? . . . glanhau, atgyweirio . . . peintio . . . pwy sy'n gyfrifol? (*Mae Now yn edrych*) Ti, Now bach, ti sy' wedi bod wrthi.
Now:	A chi, Wilias.
Wilias:	Na—ti, Now—ti! Yr unig beth w'i wedi wneud odi mynd lawr i'r dre 'na nawr ac yn y man i nôl pethe . . . ond ti sy' wedi bod wrthi . . . ti sy' wedi 'i droi e'n balas bach.
Now:	(*Gwên yn awr*) 'Dwi wedi mwynhau, Wilias.
Wilias:	Wel, dyna dy gyfraniad di, machgen i—'tawn i wedi cael crefftwr i mewn mi fydde wedi costo ffortiwn i mi.

Now: 'Da chi'n meddwl?

WILIAS: Wi'n gwybod . . . ma' llafur yn ddrud heddi wyddost ti—mi fydde wedi costo cymaint â rois i am y lle—o leia hynny.

Now: Ma' llafur yn ddrud, Wilias.

WILIAS: (*Yn rhoi ei law iddo*) Ni'n bartners 'ta—heb i neb fod mewn dyled i'r llall.

Now: (*Ar ôl saib fer*) Partners! (*Mae'n ysgwyd llaw â Wilias.*)

WILIAS: (*Yn cerdded at y drws fel petai'n mynd i nôl rhywbeth*) Dyna ni 'ta.

Now: Ond, Wilias!

WILIAS: (*Yn troi*) Ie?

Now: Mi fydd rhaid inni . . . mi fydd rhaid inni fyw yn bydd?

WILIAS: Be' ti'n feddwl?

Now: Mi fydd rhaid inni gael pres i'n cadw . . . fedrwn ni ddim byw ar wynt.

WILIAS: (*Gwên fuddugoliaethus eto*) Aros di . . . (*Mae'n mynd at y cês eilwaith.*)

Now: Mi fydd rhaid inni fyta . . . a phrynu gêr . . . a dillad a ballu . . . (*Mae Wilias yn tynnu blwch metel allan o'r cês*) . . . chawn ni ddim dôl gan y diawled.

WILIAS: Dyma ti. (*Mae Wilias yn agor y blwch o dan drwyn Now.*)

Now: (*Yn edrych i mewn i'r blwch â syndod am ysbaid*) 'Rarglwydd o'r Sowth!

WILIAS: (*Yn tynnu bwndeli o bapurau pum punt allan*) Pum cant a hanner mewn arian parod!

Now: (*Gyda golwg ddifrifol rwan*) Ble cawsoch chi nhw?

WILIAS: Fydd dim rhaid inni fod ar ofyn neb.

Now: Ond ble cawsoch chi nhw, Wilias . . . dudwch wrthai . . . 'da chi 'rioed wedi . . . ?

WILIAS: Fi sy' berchen nhw, gw'boi—fi!

Now: Na . . . ylwch . . . Ma' well gen i gael gwbod y gwir rwan . . . os 'da chi wedi bachu nhw . . .

WILIAS: (*Wedi ei frifo*) Bachu? Be' ti'n feddwl—bachu?

Now: Fydd o ddim mo'r tro cynta', na fydd?

WILIAS: (*Ar ôl saib o edrych ar Now*) Ti'n fy ame i eto'n awr on'd wyt ti—ti'n fy ame i?

Now: Na . . . dim ond isio bod yn saff—gwbod yn union lle dwi'n sefyll.

WILIAS: (*Yn tynnu Beibl allan o'r cês*) Beibl! (*Yn ei godi i ddangos i Now*) . . . Fi sy' berchen nhw—(*Mae'n rhoi ei law ar y Beibl*) . . . ar fy ngwir.

Now: Nefoedd yr Adar! . . . pum cant (*Mae golwg pell arno.*)

WILIAS: Mil i gyd—fe adawodd fil i mi.

Now: Mil?

WILIAS: Hen fodryb . . . meddwl y byd ohona i . . . fe adawodd fil imi yn 'i hwyllys ddwy flynedd yn ôl . . . fe aeth y gweddill ar fan hyn . . . ma' hi'n iawn arnon ni, Now bach—ma'r ceiliog aur 'di dodwy!

Now: (*Saib o feddwl*) Na, Wilias . . . 'dwi wedi deud wrthach chi o'r blaen . . . 'nes i 'rioed sugno neb . . . a 'dwi ddim yn mynd i ddechra rwan . . . ma' rhaid i mi ennill 'y nhamad . . . ma' rhaid imi weithio!

WILIAS: Gweithia i mi 'ta.

Now: Y?

WILIAS: Fe dala i i ti . . . fe dala i gyflog i ti.

Now: Cyflog?

WILIAS: Ia . . . am dy dalent . . . am dy grefft.

Now: Ond, Wilias . . .

WILIAS: Gwranda! Ti'n hoffi garddio on'd wyt? . . . Ti wedi dweud droeon wrthai . . . ti'n hoffi garddio?

43

Now:	Ydw . . .
WILIAS:	Nawr 'te . . . ma' acer o dir 'da'r bwthyn yma. (*Mae'n mynd at y ffenestr*) Dere yma—dere yma am funed. (*Mae Now yn mynd ato i edrych allan drwy'r ffenestr*) Weli di ble mae'r nant 'co—wel ni sy' berchen e—ni sy' berchen y tir o fan hyn i fan 'co.
Now:	Nefi!
WILIAS:	A phan ddaw'r gwanwyn, fe elli di drin e . . . plannu—tyfu pethe.
Now:	(*Gwên*) Tatws a ballu.
WILIAS:	Tato, moron . . . rhywbeth fynni di . . . cabijis!
Now:	Pys a ffa!
WILIAS:	Winwns, erfin . . .
Now:	(*Llawn brwdfrydedd nawr*) Rwdins, meips, bit-rwts, ciwcymbers . . .
WILIAS:	Na fe . . . na fe . . .
Now:	Letys, radish, gwsberis, cyrants cochion, cyraints duon . . . a falla—dwy'n dair o goed fala—a gellyg—eirin falla.
WILIAS:	Perllan gyfa, Now bach—digon i'n bwydo ni haf a gaea'—fydd dim rhaid inni ddibynnu ar neb.
Now:	A be' am gadw ieir—be' am hynny? Ma' digon o gerrig o gwmpas i fildio cwt ieir.
WILIAS:	Wrth gwrs bod na . . .
Now:	Wya mawr brown—nid rhyw sothach 'deep litter'.
WILIAS:	'Free range', Now bach—'Free range'.
Now:	(*Llawn breuddwydion nawr*) A buwch falla—i gael llefrith fresh—na . . . sdim gwartheg ar ben mynydd nacoes?
WILIAS:	Ond ma' geifr—llaeth gafr, bachgan—'sdim byd mwy iachus na llaeth gafr.
Now:	Diawl, Wilias—mi alla ni neud petha—neud petha mawr!

WILIAS:	Hunangynhaliol!
Now:	Y?
WILIAS:	Cadw'n hunan—fydd dim rhaid i mi brynu dim —gyda'r dalent sy' 'da ti.
Now:	W'chi be', Wilias—' da chi wedi' gweld hi . . . 'da chi wedi' gweld hi—wir dduw i chi! (*Mae'n mynd allan i edrych trwy'r ffenestr eto.*)
WILIAS:	Mi wyddwn yn iawn y bydde ti wrth dy fodd.
Now:	(*Yn edrych yn synfyfyriol allan*) Mi allai weld y cyfan rwan . . . (*Saib*) . . . a bloda, Wilias . . . rhaid inni beidio anghofio bloda . . . nefi, mi fydd hi'n batrwm o ardd.
WILIAS:	(*Mae Wilias yn eistedd yn awr gyda golwg bell arno*) Eirlysa . . . briallu . . . anemoni coch . . . ffarwel haf . . .
Now:	Pluo! ydi wir Dduw ma' hi'n pluo.
WILIAS:	Beth?
Now:	Eira, Wilias . . . ma' hi'n pluo eira . . . sgynno ni ddigon o goed a ballu i mewn?
WILIAS:	(*Yn mynd at y ffenestr i edrych*) Odi wir . . . 'roeddwn i'n i hame hi gynne wrth gerdded lan o'r dre 'na . . . (*Mae'n cofio rhywbeth*) Trugaredd, mi fuo bron imi anghofio . . . (*Mae'n rhuthro at y drws, ei agor—a dod a sached o nwyddau i mewn*) Mi gadewis nhw wrth y drws gynne wrth ware 'da ti.
Now:	Lwcus y'ch bod chi wedi bod lawr yn ηôl stoc —mi alla ni gael 'n cau i mewn yma am ddyddia. (*Mae golwg gweddol brwdfrydig arno wrth feddwl am hyn. Tra mae Wilias yn y sach*) Duw—'dwi'n licio eira—ma' rhaid imi ddeud! (*Ma Wilias yn tynnu defnydd go liwgar allan o'r sach*) Eira mân hefyd . . . 'eira mân, eira mawr,' medda' nhw.
WILIAS:	Edrych.

Now: Be 'dio?

Wilias: Llenni i'r ffenast 'na.

Now: (*Yn eu ddal i fyny i edrych arnynt*) Clyfar!

Wilias: Ti'n hoffi nhw?

Now: Ma' gynno chi dast, Wilias.

Wilias: Aros funud. (*Mae'n cymryd y defnydd oddi ar Now a'i roi dros ei ben fel clogyn*) Pwy gyrrodd chi yma ata i ŵr ifanc?

Now: (*Yn gwenu wrth weld fod Wilias â rhyw gêm*) Y?

Wilias: Ond chi wedi dod i'r lle iawn . . . mae Madam Hwdini'n gwybod y cyfan—y dirgelion oll. Eich llaw!

Now: (*Yn gweld beth sydd gan Wilias*) Dynas deud ffortiwn. Be' welwch chi, Madam Hwdini?

Wilias: (*Yn edrych ar ei law*) Llwyddiant . . . llwyddiant mawr i chi a'ch partner . . . mae'r busnes yn mynd i lwyddo . . . chi'n mynd i wneud eich ffortiwn.

Now: Pa fusnes felly?

Wilias: 'Market gardening'—dyna be' welai . . . tato fel ffwtbol . . .

Now: Ia. (*Chwerthin.*)

Wilias: Cabejis fel coed gwsberis . . .

Now: (*Chwerthin yn uchel*) Tewch deud.

Wilias: A ciwcymbyrs fel polion teligraff. Aros funud . . . aros di funud bach . . . (*Mae'n styffaglio i gael rhywbeth o waelod y sach*) . . . Aros i ti weld be' sda fi man hyn. (*Mae'n tynnu radio transistor allan.*)

Now: (*Ei wyneb yn goleuo wrth ei gweld*) Weirles! (*Ei throi ymlaen.*)

Wilias: 'R hen siop ail-law yna (*Yn gwrando gydag edmygedd*) Un dda, o'nd yw hi—beti'n ddweud?

Now: (*Yn gwenu wrth gael syniad am gêm arall*) Gai'r pleser o'r ddawns yma, syr?

46

WILIAS: (*Yn moesymgrymu*) A chroeso, madam. (*Mae'r ddau yn dechrau dawnsio o gwmpas yr ystafell.*)
Now: Fyddwch chi'n dod yma'n aml?
WILIAS: Fe allai ddod yma'n amlach nawr ar ôl cwrdd â chi . . . (*Yn sydyn mae un ohonynt yn baglu, gan dynnu'r llall ar ei gefn ar y llawr. Mae chwerthin mawr yn awr, ac y mae'r ddau yn dechrau ymgodymu'n chwareus. Mae Now yn goglais Wilias.*)
WILIAS: Paid, Now . . . paid Now bach. (*Yn sydyn fe glywir sŵn fel petai rhywun wedi rhoi cic i fur yr adeilad o'r tu allan.*)
Now: Be' oedd hwnna? (*Mae'r ddau yn gwrando. Clywir ergyd arall. Mae Wilias yn brysio i ddiffodd y radio. Gwrando eto. Clywir y sŵn yn awr fel petai'n symud yn araf ar hyd y mur i gyfeiriad y drws*) Be' uffar ydio?
WILIAS: Sh! (*Mae'r sŵn wedi cyrraedd y drws yn awr, ac fe glywir rhywun yn ymbalfalu hefo'r gliced. Mae Wilias yn rhedeg a rhoi ei ysgwydd yn erbyn y drws*) Mae rhywbeth yna . . . ceisio dod i mewn . . .
Now: Be' 'wnawn ni? (*Mae Now yn cilio i'r gornel.*)
WILIAS: (*Yn gafael mewn darn o bren a'i godi'n fygythiol*) Agor o! (*Mae sŵn griddfan tu allan.*)
Now: Ond beth tae o . . . ?
WILIAS: Agor o—'rwy'n barod amdano fo! (*Mae Now yn agor y drws, ac y mae'r person sydd yn pwyso yn ei erbyn yr ochor draw yn disgyn ar ei bengliniau i mewn i'r stafell. Gwelwn ei fod wedi ei wisgo fel dringwr gyda chlogyn neu 'Anorak' dros ei ben, a 'goggles' tywyll am ei lygaid. Mae gwaed yn llifo o'i dalcen i lawr ei wyneb.*)
Now: (*Ar ôl ysbaid hir o edrych arno mewn syndod*) Be' gythral ydio?

47

WILIAS: Drycha . . . gwaed . . . ma' gwaed ar 'i dalcen e'
(*Mae Wilias yn agosáu at y dringwr.*)

Now: Na! . . . peidiwch . . . peidiwch mynd yn agos
ato fo . . .

WILIAS: Ond mae o wedi cael damwain . . .

Now: Peidiwch â'i gyffwrdd o wyddoch chi ddim . . .

WILIAS: Ond dringwr yw e . . . ti ddim yn gweld . . . 'di
disgyn ne' rhywbeth . . . allwn ni ddim mo'i adael
e . . . helpa fi i gael o i'r gadair yna . . . (*Mae
Now yn wyliadurus iawn, yn helpu i godi'r
dringwr a'i roi i eistedd yn y gadair*) Nawr te . . .
gad inni weld . . . (*Mae Wilias yn tynnu'r clogyn.
Cyn gynted ag y gwna hyn, gwelwn wallt melyn
llaes yn disgyn dros ysgwyddau'r dringwr.*)

Now: 'Rarglwydd o'r Sowth! Fodan 'di! (*Mae Now yn
ail-ennill ei hyder yn awr o weld mai merch ydyw.*)

WILIAS: Ti'n siŵr? (*Mae Wilias yn colli ei hyder.*)

Now: Wel, drychwch ar 'i gwynab hi . . . a'r gwallt 'na
. . . sgert 'di! Bendant mi allai deimlo fo! (*Mae
Now yn sychu'r gwaed â chadach.*)

WILIAS: (*Amheus*) Be' ti'n feddwl?

Now: Na . . . dio ddim yn ddrwg . . . rhyw sgathriad ar
y wyneb 'dio . . . (*Mae'r ferch yn griddfan yn
isel am eiliad*) . . . Mis? . . . Mis, 'da chi 'nghlwad
i? . . . (*Saib*) . . . misus?

WILIAS: (*Chydig o bryder*) Misus?

Now: Wel . . . wyddoch chi ddim na wyddoch . . .

WILIAS: Reit! . . . Ma rhaid iddi fynd . . . chaiff hi ddim
aros fan hyn . . . allan!

Now: Peidiwch â siarad yn hurt!

WILIAS: Ond chaiff hi ddim aros fan hyn . . . rwy'n dweud
wrthyt ti—chaiff hi ddim aros fan 'da ni!

Now: Ylwch! . . . ma' hi wedi 'nogio' tydi—'da chi
ddim yn gweld . . . fedar hi ddim sefyll heb sôn
am gerdded o'ma . . .

48

WILIAS: Ond beth 'tae rhywun yn—yn dod i wybod?

Now: Gwybod be' yn enw'r dyn—tydi'r hogan 'di brifo, tydi? . . . helpwch fi i chael hi i'r gwely 'na.

WILIAS: Na . . . na, dim gwely, chaiff hi ddim mynd i fa'na . . . (*Mae'r ferch fel petai'n ceisio dweud rhywbeth.*)

Now: Sh! . . . (*Mae'r ddau yn gwrando.*)

YMWELYDD: (*Braidd yn aneglur*) Tywyllwch . . . allai ddim . . . tywyllwch . . . (*Distawrwydd.*)

WILIAS: Be' ddwedodd hi?

Now: Anodd deud! (*Mae Now yn awr yn dechrau datod yr 'Anorak'.*)

WILIAS: (*Pryderus*) Be' ti'n wneud?

Now: (*Yn datod ei chardigan hefyd*) Llacio i ddillad hi te . . . iddi gael gwynt . . . rhag iddi fygu . . .

WILIAS: Bydd yn ofalus, os mai merch ydi . . .

Now: (*Yn aros*) Ia! Merch ydi hi'n saff, Wilias . . . brestia!

WILIAS: (*Wedi ei gynhyrfu'n arw yn awr*) Chaiff hi ddim aros . . . waeth iti heb na dadle . . . chaiff hi ddim!

YMWELYDD: (*Braidd yn aneglur*) Morthwyl! . . . morthwyl yn tarro . . . (*Cryfhau*) . . . Na . . . peidiwch . . . peidiwch . . .

Now: Ma' popeth yn iawn mis . . .

YMWELYDD: (*Fel petai'n gwrando*) Pwy sy' 'na?

Now: 'Da chi'n iawn rwan . . . 'sdim byd i boeni.

YMWELYDD: Ond ble ydw i . . . pwy y'ch chi?

Now: Now ydw i, a Wilias ydi o . . . a ni pia'r lle 'ma —ni'n dau . . . felly 'da chi'n saff fan hyn!

WILIAS: Ond mi fydde'n well ichi fynd lawr i'r dre . . . ma' . . . ma' meddyg da yn fan'no.

YMWELYDD: Ond pam ma' hi mor dywyll . . . allai weld dim, ble y'ch chi? (*Mae Now a Wilias yn edrych ar ei gilydd mewn penbleth am ennyd*) . . . chi 'nghlywed i?

Now: Ylwch Mis . . .

YMWELYDD: 'Sdim gole 'da chi? . . . torts . . . matsen ne' ryw-beth?

Now: Ylwch . . . (*Mae'n cyffwrdd ei braich.*)

YMWELYDD: Peidiwch â nghyffwrdd i . . . ne' mi sgrechia i.

WILIAS: Na fe' . . . mi wyddwn yn iawn . . . wyddwn y bydde ni'n cael trwbwl 'da hi.

Now: Wnawn ni ddim byd ichi mis . . . ma' popeth yn iawn . . . 'di cael damwain bach yda chi—dyna i gyd.

YMWELYDD: Damwain?

Now: Ond dim byd difrifol . . . 'sdim isio chi boeni . . . mi ddewch at eich hun toc.

YMWELYDD: Ond pam y twllwch yma 'te—pam y twllwch? (*Panig.*)

WILIAS: Nawr, disglwch yma, mis . . . ni'n fodlon rhoi dipyn o gymorth . . .

Now: (*Wrth Wilias*) Rhoswch funud . . . (*Mae Now yn ysgwyd ei law yn ôl ac ymlaen o flaen wyneb y ferch*) 'Da chi'n gweld 'y llaw i?

YMWELYDD: Beth?

Now: 'Da chi'n gweld 'y llaw i'n ysgwyd nôl a blaen?

YMWELYDD: Pa law?

Now: 'Rarglwydd—di'n gweld dim.

WILIAS: Be' ti'n feddwl?

Now: Ma' hi'n ddall, Wilias—ma' hi'n ddall bost.

YMWELYDD: Be' wedoch chi?

Now: (*Wedi cynhyrfu'n llwyr*) 'Da chi ddim yn gweld, mis . . . dyna be' sy' o'i le . . . dyna pam ma' hi mor dywyll ichi—'da chi'n gweld dim.

YMWELYDD: (*Yn codi oddi ar y gadair yn awr mewn tipyn o banig*) Sa i'n gwbod be' chi'n geisio wneud . . . (*Mae'n bagio a tharo yn erbyn y bwrdd*) . . . ond rwy'n barod amdanoch chi . . . (*Mae'n ceisio ym-*

Ydy hi'n cynrychioli
rhywun hu faeo i
grefydd.

50

balfalu heibio i'r bwrdd) . . . os na rowch chi'r gole
mlaen . . . mi . . . mi sgrechia i . . . wi'n gweud
wrthach chi . . .

Now: Ond wir Dduw, mis—tae Duw'n lladd ni—*ma'*
hi'n ola 'ma. Ma'r dydd yn tynnu ati falle . . .
(Mae'n mynd i nôl y lusern) . . . ond wir i chi . . .

YMWELYDD: *(Mae'n bagio o gwmpas yr ystafell yn awr fel
anifal yn cael ei gornelu)* Ma' pastwn 'da fi fan
hyn . . . a chyllell . . . Ma' cyllell 'da fi i chi fod
yn deall *(Mae'n tarro rhywbeth yn deilchion i'r
llawr.)*

WILIAS: Peidiwch . . . peidiwch, mis . . . ni'n dweud y
gwir wrthych chi . . . fyddien ni ddim gwneud
niwed ichi.

YMWELYDD: Cadwch draw! *(Taro rhywbeth arall i'r llawr.)*

Now: Rhoswch! Rhoswch funud . . .ma' gin i lantar fan
hyn . . .

YMWELYDD: Goleuwch hi 'te . . . goleuwch hi.

WILIAS: Rho'r blwch iddi—gad iddi oleuo matsen 'i hun
. . . iddi gael gweld.

Now: *(Yn agosáu gyda'r blwch matsys)* Dyma chi . . .

YMWELYDD: Peidiwch â chyffwrdd yno i.

WILIAS: Wnaiff o ddim byd ichi mis . . . dim ond rhoi'r
blwch yn 'ch llaw chi . . . mi gewch oleuo matsen
eich hun wedyn . . . i weld . . . i weld drosto'ch
hun. *(Mae Now yn cyffwrdd y blwch yn llaw y
ferch ac y mae honno yn gafael ynddo. Mae'n
ymbalfalu i'w agor, tynnu matsen allan gyda
chydig o drafferth, a'i goleuo. Mae Wilias a Now
yn edrych yn ddisgwylgar. Gwelwn y ferch yn
mynd â'r fatsen yn nes ac yn nes at ei wyneb.)*

WILIAS: *(Yn rhuthro ymlaen a tharro'r fatsen o'i llaw)*
Cymerwch ofal yn enw'r nefoedd! *(Mae'r ferch
yn sefyll yn ei hunfan fel petai wedi ei pharlysu.
Mae saib hir o ddistawrwydd.)*

51

Now:	Welsoch chi rwbath?
YMWELYDD:	(*Yn dawel freuddwydiol*) Dim!
WILIAS:	(*Ar ôl saib hir eto o ddistawrwydd*) Peidiwch â becso nawr . . . ma' pethe fel hyn yn digwydd weithie. (*Mae Wilias yn meddalu ychydig yn awr.*)
Now:	(*Yn mynd ati*) Ma' well ichi ddwad i ista'n ôl i'r gadair 'na (*Mae'n cymryd eu harwain yn hollol dawel yn awr yn ôl i eistedd.*)
WILIAS:	(*Yn dosturiol yn awr*) Yr ergyd 'na gawsoch chi sy' wedi ypsetio pethe chi'n gweld . . . digwyddodd yr un peth i ffrind imi unwaith—ond fe gas 'i olwg yn ôl yn syth 'mhen chydig ddyddie.
YMWELYDD:	(*Ymhen amser*) Sut dois i yma?
Now:	Cicio'r drws na oeddach chi—a phan 'goron ni— mi ddisgynoch chi i mewn (*Maer ferch yn cyff- wrdd y briw ar ei thalcen*) 'Dio ddim yn ddrwg y'chi . . . croen 'di torri dipyn . . . ond 'dio ddim yn gwaedu rwan.
WILIAS:	Cwympo ddaru chi?
YMWELYDD:	Beth?
WILIAS:	Cwympo ddaru chi—cwympo wrth ddringo?
YMWELYDD:	Dringo?
Now:	Ma' hi'n beryg bywyd ar y mynydd 'na—yn enwedig hefo'r eira 'ma.
YMWELYDD:	Pa fynydd—welais i ddim . . .
Now:	Wel, dringwr 'da chi 'te—hefo'r gêr yna—rhaff a ballu.
YMWELYDD:	Rhaff?
WILIAS:	Peidiwch becso—fe ddaw'r cwbl yn ôl ichi yn y funed . . . disglwch, hoffech chi fynd i orwedd ar y gwely 'co?
YMWELYDD:	(*Chydig o bryder eto*) Na . . . na, wi'n iawn.
WILIAS:	Wel . . . meddwl o'n i . . .

52

YMWELYDD: (*Yn torri allan i feichio crio*) Be' sy' wedi digwydd imi? (*Mae Wilias a Now yn edrych fel petaent yn hollol analluog i ddelio â'r sefyllfa'n awr.*)

WILIAS: Nawr . . . nawr . . . 'rwy wedi dweud wrthych chi . . .

NOW: Panad! Dyna be' ma' hi isio. (*Mae'n rhuthro i lenwi'r tegell a'i roi ar y stof*) 'Di cael sioc ma' hi 'da chi'n gweld . . . lapiwch un o'r plancedi 'ma amdani, Wilias. (*Mae Wilias yn rhuthro at y gwely i nôl planced.*)

WILIAS: (*Yn ei rhoi yn ofalus am war y ferch sy'n dal i grio*) 'Na chi . . . fe wellith pethe nawr!

YMWELYDD: 'Sdim byd yna—dim!

WILIAS: Ond fe ddaw'r golwg yna'n ôl—wi'n dweud wrthych chi.

YMWELYDD: 'Dwi'n cofio dim—dim byd o gwbl.

NOW: Ma' hynna'n digwydd weithia hefyd—concysion! Dim yn cofio cael y slap hyd yn oed . . . 'da chi'n cofio cael y warog 'na ar y'ch talcan felly?

YMWELYDD: Sai'n cofio dim.

NOW: (*Wrth Wilias gyda gwên wybodus*) Na fo, ylwch —o'n i'n deud wrtha chi.

YMWELYDD: (*Panig bron*) Allai gofio dim—chi ddim yn deall— mae'r cyfan wedi mynd.

WILIAS: Chi'n cofio cychwyn allan i ddringo heddi? (*Mae'r ymwelydd yn siglo'i phen tan ochneidio crio*) O ble daethoch chi (*Crio*) . . . eich henw chi . . . beth yw'ch henw chi? (*Ysgwyd ei phen.*)

NOW: 'Da chi ddim yn cofio'ch blydi enw?

WILIAS: (*Yn geryddol*) Now!

NOWH Sorri . . . (*Yn dawelach*) . . . 'Da chi ddim yn cofio be' ydi'ch enw chi 'ta?

YMWELYDD: 'Sgin i 'r un syniad.

NOW: (*Dan ei wynt bron*) Nefi!

53

WILIAS: (*Ar ôl saib hir o ddistawrwydd*) Ma' rhaid inni
           . . . ma' rhaid inni fynd â hi at y meddyg ar
           unwaith.
Now: 'Da chi'n deud?
WILIAS: Wel . . . fe all pethe . . . fe all pethe fod yn waeth
           na ni'n feddwl . . . fe all 'i bod hi wedi niweidio'i
           ymenydd . . . (*Y foment yma, mae'r ferch yn
           llithro o'r gadair mewn llewyg.*)
Now: 'R arglwydd o'r sowth, ma' hi wedi nogio eto.
WILIAS: (*Yn neidio yn ôl mewn ofn*) Gwna rywbeth . . .
           gwna rywbeth yn lle sefyll fan'na.
Now: Ond be' ddiawl fedra i neud? (*Mae'r ferch yn
           un swpyn diymadferth ar y llawr yn awr.*)
WILIAS: Wel cod hi . . cod hi.
Now: (*Yn mynd ati i wneud*) Wel, helpwch fi ta, wir
           Dduw (*Mae Wilias yn nesáu yn ofnus*) Gaflwch
           yn 'i choesa hi. (*Mae'n gwneud fel petai arno ofn
           cyffwrdd â nhw*) Ma' well inni fynd â hi i'r gwely
           na' tro yma—ne' mi sgynith eto. (*Mae'r ddau yn
           ei chario a'i rhoi i orwedd ar y gwely. Maent yn
           camu'n ôl tan edrych arni yn bryderus*) Wel, dyma
           be ydi blydi cymanfa! (*Mae'r gwynt wedi cynyddu
           dipyn erbyn hyn, ac y mae'r cenllysg i'w glywed
           yn taro'n erbyn y ffenestr.*)
WILIAS: (*Yn dechrau cerdded o gwmpas yr ystafell yn
           bryderus*) Ma' rhaid inni wneud rhywbeth—ar
           unwaith . . .
Now: Fel be'?
WILIAS: (*Yn edrych o gwmpas yr ystfell*) Oes yna ryw-
           beth yma i'w chario hi?
Now: Chario hi?
WILIAS: Mae'n rhaid inni fynd â hi lawr, ti'n gweld . . .
           heb oedi.
Now: Lawr?—be' 'da chi'n falu?

WILIAS: I'r dre' 'na . . . at y meddyg . . . 'sdim eiliad i'w golli.

NOW: Ond fedrwn ni ddim gwneud hynny, ddyn . . . be' s'arnach chi?

WILIAS: (*Yn chwilota am rywbeth yn awr*) 'Does dim yn amhosib gyda chydig o ddychymyg Now bach . . . shwd ma' gwneud 'stretchar' . . . dwy ffon . . . ne' goes brws . . . a phlanced . . . ma' digon o reini 'da ni.

NOW: Ond fedrwn ni byth fynd â hi lawr rwan, Wilias.

WILIAS: (*Yn dod o hyd i ddarn hir o bren*) Dyma i ti un . . .

NOW: Ond drychwch, ma' hi bron 'di twllu'n barod.

WILIAS: Mi fyddi di'n iawn hefo fi, Now bach . . . paid ti â phoeni.

NOW: A clywch y gwynt 'na—ma' 'na gythral o storm yn codi. (*Mae'n mynd at y ffenestr i edrych allan*) 'Rarglwydd! Drychwch—drychwch yr eira 'na —drychwch fel mae o'n lluwchio. (*Mae Wilias yn dod ato i edrych allan*) Mi fasan dan gladd cyn cyrraedd hanner ffordd.

WILIAS: (*Yn bryderus*) Ond mae'n rhaid i ni wneud rhyw-beth, Now bach—wyt ti ddim yn gweld?

NOW: Mi fedar aros yma tan bora, medar? Falla bydd petha'n well erbyn hynny—ma' sens pawb yn yn deud 'i bod hi'n beryg bywyd tu allan 'na!

WILIAS: Ond beth am y perygl tae hi'n aros yma?

NOW: Y?

WILIAS: (*Edrych ar y gwely*) Hi! . . . ni'n dau . . . fan hyn ein hunain.

NOW: Be' gythral s'arnach chi? Dyn o'ch hoed chi . . . 'da chi 'rioed yn meddwl . . .?

WILIAS: Nid be rwy i'n meddwl sy' bwysica ar hyn o bryd —nid be' wyt ti'n feddwl (*Saib*) . . . ond be' fyddan nhw'n feddwl, Now bach. (*Yn amneidio at y drws.*)

Now:	Wel, i'r diawl â nhw 'ta—be' sy' bwysica yn y pen draw ydi *'be sy'n iawn* . . . a mi fydd hi'n saff hefo ni bydd . . . mi fydd hi'n gwbod . . . mi fydd hi'n dyst o hynny!
WILIAS:	(*Fel petae'n siarad yn dyner â phlentyn anneallus yn awr*) 'Dwyt ti ddim yn gweld nacwyt, ngwas i 'dwyt ti ddim yn gweld be' sy' gen i.
Now:	'Dwi'n gweld yn iawn—felly peidiwch â phaldaruo.
WILIAS:	Ond ceisia ddeall—ma' hi wedi cael 'i hanafu.
Now:	Wel, dyna'r pwynt, a dyna pam . . .
WILIAS:	Na . . . aros funed . . . gad imi egluro . . . ma' hi wedi 'i tharo ar 'i phen o'nd yw hi?
Now:	Ma' hi wedi disgyn.
WILIAS:	Digon posib—digon posib 'i bod hi, ond 'does neb yn gwybod hynny, nacoes—'does neb yn gwybod yn saff. Fe alle rhywun feddwl fod rhywun wedi . . . wedi 'i bwrw hi ar 'i phen—yn fwriadol felly.
Now:	Y?
WILIAS:	Ac unwaith y dôn nhw i wybod amdanon ni . . . gwybod popeth . . . pa gasgliad ddôn nhw iddo fe wedyn?
Now:	'Da chi 'rioed yn meddwl . . .?
WILIAS:	Ni gaiff y bai, Now bach . . . dyna sut ma' hi bob tro.
Now:	Ond diawl, mi fedar hi ddeud wrthyn nhw . . .
WILIAS:	'Dyw hi ddim yn gwybod!
Now:	Ond . . . ond mae'n gwybod 'n bod ni wedi gneud 'n gora glas i helpu—mi all hi fod yn dyst o hynny.
WILIAS:	Beth tae hi'n methu dweud?
Now:	Ma' gyni geg 'toes—'sdim byd o'i le ar 'i lleferydd hi.
WILIAS:	Beth tae rhywbeth yn digwydd iddi . . . beth tae hi'n marw ar 'n dwylo ni . . . be' wedyn?
Now:	(*Edrych ar y gwely, wedyn edrych ar Wilias*) Uffar!

ACT II

Amser: Bore wedyn

Golygfa: Mae Now yn cysgu yn y naill wely, y ferch yn y llall, a Wilias yn y gadair wrth y stôf. Mae planced wedi ei lapio amdano ac mae'n pendwmpian. Yn sydyn mae'r ferch yn codi ar ei heistedd yn y gwely, ac edrych yn syth o'i blaen am eiliad neu ddau—fel petai'n meddwl. Yna, mae'n troi ei phen i gyfeiriad Wilias fel petai'n edrych arno, ond nid oes unrhyw sicrwydd ei bod yn gallu ei weld. Mae'r ferch yn awr yn troi fel bo ei throed allan o'r gwely ac ar y llawr, ac yna mae'n codi i sefyll yn araf. Saif fel hyn am ysbaid hir cyn dechrau cerdded ymlaen. Y foment yma, mae Wilias yn deffro ac yn troi i edrych arni.

WILIAS:　　Chi'n iawn? (*Mae'r ferch yn sefyll yn stond fel petai wedi ei pharlysu, ond nid yw'n ateb*) Chi'n gweld . . . chi'n gallu gweld? (*Mae'n chwifio ei law o flaen ei llygaid*) O! . . . am funud 'roeddwn i'n meddwl . . . dowch i ishte fan hyn . . . fe wnai ddisgled fach o de ichi. (*Mae'n ei hebrwng i'r gadair ac y mae hithau'n eistedd.*)

YMWELYDD:　R'un un y'ch chi?

WILIAS:　　Beth?

YMWELYDD:　Oedd 'da fi gynne . . . 'r un un?

WILIAS:　　O ie . . . ie, ie . . . (*Mae'n mynd at y stôf a gafael yn y tegell sydd arni*) Williams!

YMWELYDD:　. . . (*Saib hir fel mae Wilias yn paratoi te tan edrych braidd yn amheus arni*) . . . Mae hi'n rhyfedd o ddistaw yma'n awr.

WILIAS:　　Odi! Mae'r gwynt wedi gostegu erbyn hyn . . . ond mi gawson ni noson arw iawn . . . drychwch trwy'r ffenest 'na ichi weld yr eira . . . (*Mae'n sylweddoli ei ffolineb*) . . . O, mae'n ddrwg 'da fi . . . chi'n cymryd siwgwr a llaeth?

57

YMWELYDD: (*Sy'n siarad fel petai ei meddwl ymhell yn rhywle*)
Dim siwgir! (*Saib eto fel mae Wilias yn arllwys
y llefrith i'r te. Mae wedi paratoi dwy baned gyda
llaw*) . . . Now, yn'tyfe?

WILIAS: Beth?

YMWELYDD: Eich ffrind . . . dyna ddwedodd o . . . Now!

WILIAS: O ie . . . Now. (*Mae'n dod â'r baned iddi*) Chi'n
cofio am neithiwr yn iawn, ynte? (*Saib hir—mae'n
meddwl*) Dyma chi. (*Mae'n rhoi'r gwpan yn ei
llaw.*)

YMWELYDD: Diolch!

WILIAS: Cymrwch ofal nawr—ma' fe'n chwilboeth. (*Mae'n
sipian y te*) . . . mae hynny'n arwydd da—'sdim
byd o'i le ar eich ymennydd chi!

YMWELYDD: Ymennydd?

WILIAS: Cofio neithiwr . . . 'smo'r ergyd wedi gwneud
difrod mawr felly?

YMWELYDD: (*Sipian y te*) Odw . . . 'wi'n cofio neithiwr . . .
hynny odi . . . (*Mae'n meddwl eto.*)

WILIAS: Ie?

YMWELYDD: Wi'n cofio siarad â chi . . . ond diim byd arall . . .

WILIAS: Ond fe ddaru ni'ch helpu chi . . . chi'n cofio
hynny—rhoi diod i chi!

YMWELYDD: Odw . . . 'rwyn cofio hynny . . .

WILIAS: A ddaru ni ddim byd arall . . . chi'n dyst o hynny
. . . on'd y'ch chi?

YMWELYDD: Be' chi'n feddwl?

WILIAS: Wel . . . chi'n gwbod . . . fe gawsoch bob cymorth
a ware teg gan . . . gan Now a fi.

YMWELYDD: 'Wi'n ddiolchgar iawn ichi am bopeth!

WILIAS: Pleser! O'dd pleser 'da ni fod o help . . . gai
wneud rhywbeth i fwyta i chi nawr? . . . brecwast
da!

YMWELYDD: Dim diolch!

WILIAS: Ond ma' digon yma—cig moch, ŵy, sosej . . .

YMWELYDD: Na . . . dim diolch—fues i 'rioed yn un am frecwast mawr—dishgled o de, dyna i gyd—hen ddigon peth cynta'r bore.

WILIAS: Chi'n cofio!

YMWELYDD: Beth?

WILIAS: Be' wedoch chi'n awr—dim yn un am frecwast mawr—chi'n cofio hynny!

YMWELYDD: (*Saib o feddwl*) Odw! . . . chi'n iawn . . . (*Saib eto*) . . . ond nid cofio chwaith—gwybod! Gwybod hynny odw i!

WILIAS: Ond mae hynny'n rhywbeth, chi'n gweld . . . 'smo fe wedi mynd i gyd . . . mae'r cof yna o hyd yn rhywle . . . wedi ei gladdu . . . ond yn barod i ddod nôl.

YMWELYDD: Chi'n meddwl?

WILIAS: Rwy'n gwybod. Fe ddwedais i wrthych chi am y ffrind yma oedd 'da fi. Ar ôl iddo gael wad, oedd dim yna—dim byd o gwbl—hollol wag! Ond un diwrnod—wsh!—fe ddaeth y cwbwl nôl fel 'na.

YMWELYDD: Chi'n gysur mawr. Pwy y'ch chi?

WILIAS: Williams!

YMWELYDD: Ie, ie . . . rwy'n gwybod hynny . . . ond . . . beth y'ch chi . . . o ble chi'n dod . . . beth yw'ch gwaith chi? (*Mae Wilias yn edrych reit anghysurus. Saib*) Chi yna?

WILIAS: 'Rwy . . . 'rwy wedi cwpla . . . (*Mae'n cerdded oddi wrthi*) . . . hynny yw—ymddeol, felly.

YMWELYDD: Ymddeol? . . . ond 'smo chi'n swnio'n hen . . . ma'ch llais chi ddigon ifanc 'ta beth.

WILIAS: (*Wedi ei blesio'n awr*) O . . . na, smo i'n hen— mhell o fod! Ymddeol yn ifanc chi'n gweld . . . moen tipyn o dawelwch.

59

YMWELYDD: Llais addfwyn hefyd . . . llais cynnes. Hoffwn i'ch gweld chi . . . dewch yma!

WILIAS: Beth?

YMWELYDD: Chi wedi mynd ymhell nawr . . . dowch nes am funed. (*Mae Wilias yn symud yn ôl ati yn araf ac yn amheus*) Ble y'ch chi nawr?

WILIAS: (*Wrth ei hymyl*) Fan hyn!

YMWELYDD: Allai . . . allai'ch cyffwrdd chi?

WILIAS: Cyffwrdd. (*Yn camu'n ôl eto.*)

YMWELYDD? Dim ond i gael syniad. Hoffwn i gysylltu'r llais â rhywbeth . . . teimlo'ch wyneb chi! (*Nid yw Wilias yn ateb dim ond dal i edrych arni gyda rhyw fath o gymysgedd o ofn ac amheuaeth*) Allai?

WILIAS: Y wyneb?

YMWELYDD: Ie . . . teimlo'r siâp. Hoffwn i gael darlun yn fy meddwl. (*Mae'n gwenu am y tro cyntaf.*)

WILIAS: (*Yn ymlacio tipyn yn awr*) Wel . . . 'does dim byd o'i le yn hynny ddyliwn. (*Yn penlinio wrth ei hochr.*)

YMWELYDD: (*Yn cyffwrdd yn ei wallt*) Gwallt trwchus . . . du 'ta gole?

WILIAS: Gole! (*Mae bysedd y ferch yn symud dros ei wyneb yn awr.*)

YMWELYDD: Talcen llydan . . . trwyn main—llyfn . . .

WILIAS: Smo i wedi shafo eto cofiwch.

YMWELYDD: Gwefusau llawn . . . gên gadarn. (*Mae ei dwylo yn symud i lawr ei wddf . . . a chyffwrdd yn y goler gron. Mae'r bysedd yn symud ar hyd y goler*) Coler?

WILIAS: (*Yn neidio oddi wrthi*) Y wyneb ddwedoch chi.

YMWELYDD: Coler gron?

WILIAS: (*Wedi ei gynhyrfu yn arw*) Musnes i odi hynny!

YMWELYDD: Gweinidog! . . . Gweinidog y'ch chi?

60

WILIAS: A beth sydd o'i le ar hynny? . . . 'wi'n gofyn ichi
. . . be' sy' o'i le ar hynny?

YMWELYDD: Dim byd o gwbwl. (*Yn codi ar ei thraed a theimlo
o'i chwmpas.*)

WILIAS: Sefwch ble y'ch chi . . . 'wi wedi cael digon ar y
ware hurt 'ma.

YMWELYDD: Ond rwy'n eich gweld chi nawr.

WILIAS: Gweld?

YMWELYDD: Yn fy nychymyg . . . darlun clir . . . perffaith . . .
'roeddwn i'n gwybod rhywsut. Eich llais chi . . .
eich ffordd chi o siarad. 'Roeddwn i'n gwybod
eich bod chi'n wahanol.

WILIAS: (*Yn dechrau sadio eto*) Oeddech chi?

YMWELYDD: Cynnes . . . caredig . . . llawn cysur . . . Ble y'ch
chi? Mi fyddai'n iawn nawr, 'rwy'n gwybod—mi
fyddai'n saff 'da chi. (*Mae Wilias yn edrych arni
mewn penbleth*) Rhowch eich llaw imi (*Dim aeb*)
. . . dim ond am funud os gwelwch yn dda . . .
(*Mae'n dal ei dwylo allan. Yn araf mae Wiliias yn
rhoi ei law iddi, ac y mae hithau yn gafael ynddi
fel petai ei bywyd yn dibynnu ar y cysylltiad*)
Bydda', mi fyddai'n saff fan hyn! (*Saib*) 'Roeddwn
i i fod i ddod yma, wyddoch chi.

WILIAS: Fan hyn?

YMWELYDD: Oeddwn . . . rwy'n gwybod nawr. 'Rwy'n cofio.
Y twyllwch . . . a'r miwsig . . . y miwsig yn denu
. . . ie, dyna fe, 'roeddwn i'n gwybod bod rhaid
imi ddilyn y miwsig . . . dod o hyd iddo . . . dyna
wnes i . . . rwy'n cofio hynny nawr.

WILIAS: Miwsig?

YMWELYDD: Yma 'roedd o . . . rwy'n gallu glywed o nawr . . .
yma fan hyn . . . a minnau'n ceisio dod mewn ato.

WILIAS: Y radio!

YMWELYDD: Beth?

61

WILIAS: 'Roedd y radio 'mlaen 'da ni. (*Yn gafael yn y radio.*)

YMWELYDD: Gai aros yma?

WILIAS: Be' chi'n feddwl?

YMWELYDD: Nes bydd pethe'n iawn . . . y golwg a'r cof . . . gai aros yma 'da chi?

WILIAS: Wel . . . chi'n gweld . . .

YMWELYDD: (*Yn daer*) 'Wi'n erfyn arnoch chi . . . fydd 'da fi ddim gobaith yn unlle arall.

WILIAS: Na fydd?

YMWELYDD: Fan hyn . . . fan hyn chi'n gweld ma'r ddolen gydiol . . . rhyngof fi a'r . . . a'r hyn sy ddim yna . . . chi ddim yn gweld hynny?

WILIAS: Odw . . . odw, wi'n credu mod i—

YMWELYDD: Gai aros 'da chi 'ta?

WILIAS: (*Yn gwenu nawr*) Wela i ddim pam lai.

Now: (*Yn llamu o'r gwely*) Hei, hold on—hold blydi on. (*Mae Wilias yn troi i edrych arno ond mae'r ferch fel petai'n fferu*) Be' di'r gêm 'ta?

WILIAS: Ma' hi'n well, Now.

Now: Felly 'dwi'n gweld!

WILIAS: Ma' rhai pethe'n dod yn ôl iddi, mae'n dechre cofio . . .

Now: Mi fedar fynd felly medar—'sdim byd yn 'i nadu hi.

WILIAS: Mynd?

Now: Ylwch, Wilias . . . 'da chi'n gwbod be' ddudoch chi neithiwr . . .

YMWELYDD: Mae o'n iawn—allai ddim manteisio mwy arnoch chi . . . mae'n well imi adael.

Now: A 'da ni ddigon tebol i fynd â hi.

WILIAS: (*Cynhyrfu yn awr*) Ond wyt ti wedi edrych tu fas 'na? (*Mae'n symud at y ffenestr*) Ti wedi gweld yr eira 'na nawr? Dishgwl! Troedfeddi ohono fe.

62

NOW: O gwmpas fa'ma'n unig ma' hwnna—'di lluwch-
io'n erbyn walia—

WILIAS: (*Yn dringo i fyny'r ysgol*) Mae o ymhobman—
dros y lle i gyd—all neb fynd mas yn hwnna. (*Ar
gyrraedd y daflod mae'n agor y ffenestr fach.*)

YMWELYDD: Ond mae'n rhaid imi—mae'ch cyfaill yn iawn.

WILIAS: (*Yn rhoi i ben allan i edrych*) Mae'r mynydd i gyd
o dan gladd . . . 'sdim . . . 'sdim llwyn na chraig
i'w weld yn unlle. (*Mae'r ferch yn closio at Now.*)

*Mae hi wedi
gweithioano fe*

YMWELYDD: (*Wrth Now*) Chi wedi bod yn garedig iawn—wna
i byth anghofio!

NOW: Iawn! (*Braidd yn swil.*)

WILIAS: All 'r un adyn byw fynd trwy hwnna . . .

YMWELYDD: (*Wrth Now*) Yn enwedig chi. (*Mae'n rhoi ei law
ar ei fraich.*)

NOW: Fi?

YMWELYDD: Chi ofalodd amdano i neithiwr. (*Mae bron yn
sibrwd nawr*) Chi roddodd ymgeledd imi.

NOW: Wel . . . mi wnes 'y ngora.

WILIAS: A ma' mwy ar y ffordd . . . cwmwle mawr duon.

YMWELYDD: Chi'n ifancach na fe on'd y'ch chi? *Hi'n gweitrio ar
Now*

NOW: Y?

YMWELYDD: Fe allai ddweud ar y'ch llais chi . . . clir . . . cyf-
oethog . . . (*Mae'r Ymwelydd yn teimlo wyneb
Now yn union fel y gwnaeth gyda Wilias ar
ddechrau'r olygfa.*)

WILIAS: (*Yn troi i edrych ar Now*) Dere i weld dy hunan
os nad wyt ti nghoelio i. (*Mae'n edrych yn genfi-
genus ar Now.*)

NOW: Na . . . na, os da chi'n deud (*Saib fer fel mae'n
edrych ar y ferch ac yna arWilias*) 'Da chi'n deud
'i bod hi rhy ddrwg iddi fynd rwan ta?

WILIAS: Allan o'r cwestiwn . . . (*Ond nid gyda chymaint o
argyhoeddiad yn awr.*)

63

Now: (*Saib eto o edrych ar y ferch ac yna ar Wilias*)
Ma' well iddi aros ta, tydi—nes bydd pethe wedi
gwella!

[handwritten: Cyamyu y dirymiad]

[handwritten left margin: Two's a company / 3's a crowd.]

(*Fe dywyllir y llwyfan am ychydig. Pan oleuir ef
drachefn, mae'r daflod wedi ei hamgylchynnu â
llenni. Mae Now yn cribo ei wallt ac yn ymbincio
mewn drych sydd ar y silff.*)

Now: (*Yn canu'n hapus wrth gribo'i wallt*) 'O na
byddai'n haf o hyd—rasus mulod rownd y byd'.
(*Mae'n edrych yn edmygus ar ei lun yn y drych
bach*) Ti'n blydi ffantastig, 'twyt? (*Mae'n brysio i
nôl sospan tywallt llefrith iddi, a'i rhoi ar y stôf i
ferwi. Ar ôl hynny, mae'n estyn hambwrdd bychan
a'i ddodi ar y bwrdd. Ar yr hambwrdd mae'n
rhoi cwpan a phlât cawl ac yna tywallt 'Corn
Flakes' iddo. Ar ôl edrych ar yr hambwrdd am
ychydig, mae'n cymryd pot bach gwydr oddi ar
y silff a rhoi un doffodil ynddo—wedyn ei roi ar y
hambwrdd. Fel y mae'n gwneud hyn, daw Wilias
i mewn yn cario pwcedaid o ddŵr. Mae tusw o
rug hefyd yn ei law.*)

[handwritten left margin: Gwneud mwy o'i / gohwg etc - ... / methu gweld]

Wilias: (*Yn sarrug braidd*) Be' ti'n wneud?

Now: (*Yn troi i edrych arno'n euog*) O'n i'n meddwl y'ch
bod chi'n mynd i nôl dŵr?

Wilias: Be' ti'n feddwl odi hwn—lemoned? (*Mae'n mynd
i dywallt y dŵr i'r tanc plastig.*)

Now: Ond diawl, fuo'ch chi 'rioed yr holl ffordd lawr i'r
nant yna rwan.

Wilias: Ma' rhai ohonon ni'n symud yn gynt na'n gilydd,
wyddost ti.

Now: Ma' rhaid y'ch bod chi wedi blydi carlamu 'ta.

64

WILIAS:	(*Yn gweld y sospan ar y stôf*) Beth yw hwnna? (*Yn croesi yn frysiog i edrych*) Be' ma'r llath ma'n dda fan hyn?
Now:	(*Hollol euog yn awr*) Wel, meddwl o'n i . . .
WILIAS:	Dyna dy gêm di i'fe—cynted bod 'nghefn i wedi troi . . . (*Mae'n gweld yr hambwrdd*) Twyllwr! (*Mae Wilias yn rhoi'r 'Corn Flakes' yn ôl yn y paced.*)
Now:	Wel, mae'n hen bryd gneud brecwast tydi?
WILIAS:	(*Yn newid y plât cawl am un arall*) A ti'n gwybod ma' fi o'dd i wneud e heddi.
Now:	Chi ddaru o ddoe!
WILIAS:	Ti!
Now:	Chi!
WILIAS:	A tithe'n gadael i'r llaeth ferwi dros y stôf.
Now:	Echdoe oedd hynny.
WILIAS:	Ddoe!
Now:	Echdoe.
WILIAS:	Ddoe!
Now:	Echdoe, 'dwi'n deud wrthach chi.
WILIAS:	Dishgwl yma gwd boi—smo i'n dwp wyddost ti.
Now:	A be' am wsnos dwytha . . . un waith ges i neud.
WILIAS:	Dim o'r fath beth—dim ond dwywaith wnes i.
Now:	Unwaith nes i!
WILIAS:	Ma' saith diwrnod mewn wythnos. Beth am y pedwar arall—beth am y rheini?
Now:	Dyna be' ydwi'n drio ddeud 'te . . . (*Ar yr union foment yma, mae'r llenni yn y daflod yn agor. Gwelwn y ferch yn penlinio yno.*)
YMWELYDD:	Bore da! (*Erbyn hyn mae'r wisg dringwr wedi diflannu ac y mae'n gwisgo crys dyn, fel gwisg amdani. Mae ei gwallt wedi ei binio yn un twmpath ar ei phen.*)
Now:	(*Gydai
WILIAS:	gilydd.*) Bore da!

YMWELYDD: Wi'n gobeithio na wnes i ddim cysgu'n hwyr heddi eto?

WILIAS: (*Yn rhoi llefrith ar ben y 'Corn Flakes'*) 'Dyw hi ond cynnar, ma' digon o amser. (*Mae'n mynd â'r hambwrdd i fyny'r ysgol iddi.*)

YMWELYDD: (*Yn gwrando*) Adar! 'Dwi'n siŵr mod i'n clywad adar bach . . .

NOW: Ydach! Ma' nhw'n glwstwr tu allan 'na—ma' hi'n fora gret.

WILIAS: Dyma fo'ch brecwast chi.

YMWELYDD: (*Yn eistedd fel teiliwr*) O Diolch! (*Mae cymryd yr hambwrdd ar ei gliniau tra mae'r ddau arall yn edrych arni gydag edmygedd. Mae Wilias yn dal i sefyll ar yr ysgol. Mae'r ferch yn anadlu trwy ei ffroenau ar yr hambwrdd*) Grug!

WILIAS: Ie . . . ie . . . mi rois i sbrigyn bach o rug ar yr hambwrdd.

YMWELYDD: Bendigedig! (*Mae'n ymbalfalu amdano.*)

NOW: Ma' 'na ddaffodil yna hefyd os 'da chi isio—mi ddois o hyd iddyn nhw wrth yr hen chwarel 'na. (*Mae'n dringo a rhoi daffodil yn 'i llaw*) Dyma chi.

YMWELYDD: Blodyn Mawrth. (*Yn ei arogleuo*) Grug! Cenhinen . . . ma'r Gwanwyn yma felly—os gwn i oes 'na ŵyn bach o gwmpas?

NOW: Oes—mi welis i un.

WILIAS: Ma' hi'n rhy gynnar i'r rheini.

NOW: Mi welis i un ddoe—'dwi'n deud wrthach chi— un dela welsoch chi 'rioed—(*Mae'n edrych ar y ferch gyda gwê*n) Cyrls i gyd . . .

WILIAS: 'Dyw defaid mynydd ddim yn cael ŵyn mor gynnar â hyn!

NOW: 'Da chi'n deud mod i'n deud clwydda 'ta—ydach chi?

66

YMWELYDD: 'Does dim siwgir yn hwn!

Now: (*Gydai*   Beth?

WILIAS: *gilydd.*)

YMWELYDD: (*Yn eitha swta*) Siwgir! 'Does dim siwgir yn hwn. (*Yn blasu'r 'Corn Flakes'. Mae Wilias yn dod i lawr oddi ar yr ysgol yn frysiog, ond y mae Now yn ei guro i'r bowlen siwgwr. Mae'n dringo'r ysgol i'w roi iddi gyda gwên fawr ar ei wyneb.*)

Now: Mae'n ddrwg gen i mis, ond Wilias ddaru 'neud y brecwast bore 'ma. (*Mae'n rhoi llwyaid o siwgwr ar ei 'Chorn Flakes' hi*) Dyna chi . . . a mi oedd o ar dipyn o frys, toeddach, Wilias? (*Mae Wilias yn rhythu'n filain ar Now fel mae'r ferch yn blasu ei bwyd.*)

YMWELYDD: Dyna welliant—yn union fel rwy'n 'i hoffi e. (*Mae Now yn gwenu fel giat at Wilias—braidd yn bryf-oclyd*) Sut yn y byd mawr allai fyth dalu'n ôl ichi, gwedwch . . . yr holl garedigrwydd yma.

WILIAS: Plesar merch i—plesar o'r mwya!

Now: Ia, tad!

YMWELYDD: Ond rwy'n siŵr o fod yn faich arnoch chi.

Now: Dim o gwbwl—'da ni wedi deud wrthach chi o'r blaen—mae'n dda ganddon ni'ch cael chi yma.

YMWELYDD: Chi'n ffein iawn—ond fe ddylwn fod wedi mynd ers wythnose—mae'r eira wedi hen glirio.

WILIAS: O—dim i gyd (*Mae'n edrych ar Now*) Nagyw, Now?

Now: Duwcs, nagydi—ma' amball i batch go hegar yma ac acw o hyd.

YMWELYDD: Chymer yr haul yma fawr o dro a'i ddadleth o nawr.

WILIAS: Ond mae'n rhaid ichi fod yn iawn—cyn mentro, chi'n gweld . . .

Now: Rhaid tad—mendio'n iawn . . . haul gwanwyn, haul gwenwyn ma' nhw'n ddeud w'chi—mi alla fod yn farwol ichi.

Wilias: Ac fel dwedoch chi . . . fan hyn daw pethe'n ôl ichi . . . fan hyn mae'r ddolen gydiol—ma' gwell siawns i bethau ddod nôl fan hyn.

Now: Hollol!

Ymwelydd: Fydd hynny ddim yn hir nawr.

Wilias: Y?

Now: Beth?

Ymwelydd: (*Yn edrych yn fyfyriol i'r gwagle o'i blaen*) 'Rwy'n 'i deimlo fo yn fy esgyrn. (*Mae'n chwifio 'i llaw o flaen ei llygaid*) . . . mae'r golau'n cryfhau . . . a'r cysgodion yn fwy pendant—bron gwelai siâp fy llaw. (*Saib.*)

Wilias: Ond mae'n rhaid ichi fod yn iawn—yn hollol iach cyn cewch chi fynd—hollol normal fel o'r blaen . . . y golwg a'r cof yn glir fel grisial.

Now: Nefi, bydd—fe alla' fod yn beryg bywyd ichi.

Ymwelydd: Ma' petha'n dod nôl imi fel fflach weithia ond yn gwibio i ffwrdd wedyn cyn imi gael gafael arnyn nhw.

Wilias: Peidiwch poeni dim—'does dim brys tra 'rŷn ni yn y cwestiwn . . . fe ddaw pethe'n y man.

Ymwelydd: Ma'r mis dwetha 'ma wedi bod yn nefoedd— diolch i chi.

Wilias: Dyna beth ŷn ni'n dda yn yr hen fyd yma yn 'tyfe —i helpu'n gilydd—os na allwn ni helpu'n gilydd . . .

Ymwelydd: (*Cwta*) Mae yna wynt main yn dod o rywle.

Now: Drws! (*Yn rhuthro i'w gau.*)

Ymwelydd: Ma'r coffi 'ma fel iâ hefyd!

Wilias: (*Yn rhuthro i roi'r sospan laeth ar y tân eto*) Mi wnai beth fresh ichi.

68

YMWELYDD: Na—'does dim rhaid—'wi wedi cael hen ddigon. (*Mae'n codi ac yn cychwyn dod i lawr yr ysgol yn wysg ei chefn.*)

NOW: (*Yn rhuthro i'w chynorthwyo*) Cymwch bwyll rwan.

YMWELYDD: (*Yn gwta iawn*) Fe allai wneud fy hun—'wi wedi dweud wrthých chi o'r blaen. (*Mae Now yn bagio'n ôl*) Mae'n rhaid imi ddod i arfer yn iawn —rhag ofn. (*Mae'n dod i lawr yr ysgol a cherdded yn weddol ddidrafferth i'r gadair—dim ond cyffwrdd y celfi yn ysgafn â blaen ei bysedd*) P'run bynnag—'rydw i wedi hen arfer â'r lle yma erbyn hyn. (*Mae'n eistedd ac yna'n rhoi ei llaw allan fel petai'n chwilio am rywbeth ar y bwrdd*) Chi wedi symud hi!

WILIAS: Beth?

YMWELYDD: Y radio fach—ble ma' hi?

NOW: Ar y silff—mi symudon ni hi . . .

YMWELYDD: Ond chi'n gwybod mai ar y ford fan hyn ma' hi i fod—lle gallai roi'n llaw arni.

WILIAS: (*Yn euog bron*) Ie . . . ond y batri chi'n gweld . . . ma'r batri 'di mynd . . .

YMWELYDD: 'Roedd hi'n iawn neithiwr—dewch â hi i mi.

NOW: (*Yn mynd i nôl y transistor fach oddi ar y silff*) 'Doedd dim bw na be' i gael ohoni bore' ma.

YMWELYDD: 'Dwi'n gobeithio nad y'ch chi wedi 'i thorri hi— gadewch i mi weld—(*Yn rhoi ei llaw allan*).

NOW: (*Yn rhoi y radio iddi*) Na—batri ydio'n saff ichi. (*Mae'r ferch yn ymbalfalu â'r set a gwrando arni.*)

WILIAS: Ia. siŵr o fod . . . all dim byd arall fod wedi dig-wydd iddi . . . (*Yn troi at Now*) . . . os na wneis di 'i gollwng hi.

NOW: Fi? Be' gythral 'da chi'n feddwl?

WILIAS: Wel, smo i wedi cyffwrdd ynddi, beth bynnag.

Now: Wel, peidiwch â thrio rhoi bai arna i 'ta . . .

YMWELYDD: (*Yn addfwyn eto'n awr*) 'Does dim rhaid ichi ffraeo, nacoes . . . falle mai dim ond y batri yw e . . . 'dyw'r byd ddim ar ben.

Now: Ia, batri ydio—dwi'n saff o hynna—batri!

YMWELYDD: (*Yn rhoi'r radio ar y ford*) Siŵr o fod—ond smo hynny'n llawer o broblem . . . a mae'r diwrnod i gyd gyda ni i'w fwynhau fel mynnon ni.

Now: (*Llais brwdfrydol eto'n awr*) Ydi! Beth am ichi ddwad hefo fi am dro i'r hen chwarel yna—ma' hen dŷ stiwart yna, 'da chi'n gweld, a ma' llond 'rardd gefn o ddaffodils a ballu . . .

WILIAS: Fe addawoch ddod 'da fi draw at y nant y diwrnod ffein cynta' . . . twlu cerrig i'r dŵr . . . dyna be' chi'n moen wneud . . . dyna 'wedoch chi.

Now: Ond nefi, ddyn, ma' hi'n beryg bywyd yn fan'no —be' tasa hi'n syrthio i mewn?

WILIAS: Ma' hi'n beryclach ar bwys y chwarel 'na.

Now: Dim o gwbwl—ma'r lle 'di ffensio'n saff.

YMWELYDD: Mi fydd rhaid i rywun fynd lawr i'r dre'.

Now: Y?

YMWELYDD: (*Cwta eto'n awr*) I nôl batri . . . mi fydd rhaid imi gael radio—allai ddim bod fel pelican fan hyn drwy'r dydd heb ddim 'i niddori fi. (*Saib hir yn awr.*)

WILIAS: Mi gaiff Now fynd!

Now: Fi?

WILIAS: Ma'r siop reit ar bwys y garej.

Now: Ond fi fuo lawr ddoe—y'ch twrn chi 'di heddiw.

WILIAS: Fi sy'n talu!

Now: Be' 'da chi'n feddwl—chi sy'n talu?

WILIAS: Pwy sy'n talu am bopeth yn y lle 'ma—y peth lleia gelli di wneud odi mynd i'w nôl nhw. (*Mae Now yn edrych arno mewn syndod, ond y mae'r ferch yn torri ar y distawrwydd.*)

70

YMWELYDD: Mi gewch chi fynd i'r dre', Wiliams! (*Now yn gwenu.*)

WILIAS: Ond fe ddylie fynd . . .

NOW: 'Na fo—ma' hi wedi deud.

YMWELYDD: Ma' 'da Now ddigon i wneud tu fas yna.

NOW: Y?

YMWELYDD: Mae amser breuddwydio am yr ardd 'na drosodd —mae'n hen bryd gwneud rhywbeth yn ei chylch hi.

WILIAS: Eitha reit!

NOW: Ond ma' hi'n ddigon buan i hynny.

YMWELYDD: Mae'r Gwanwyn wedi cyrraedd, Now—amser daffodils ac ŵyn bach . . . amser trin y tir a hadu hefyd!

WILIAS: Chi'n iawn—smo fe'n gwneud dim ond siarad . . .

NOW: Ylwch . . .

YMWELYDD: A thra byddwch chi'n y dre', Wilias, fe wnawn ni'n siŵr fod Now yn ennill i fara fan hyn.

WILIAS: (*Yn croesi i nôl ei flwch arian*) Allswn i feddwl hefyd . . . fydd dim 'da ni pan ddaw'r haf . . . (*Mae'n agor y blwch*) . . . mi ddylet fod wedi dechrau arni ers dyddie.

NOW: (*Codi ei lais*) Sut gythral gallwn i?

WILIAS: Iaith!

NOW: Ond sut medrwn i hefo'r holl eira 'ma—mi fase wedi difa popeth.

WILIAS: (*Yn cymryd arian o'r blwch a'u rhoi yn ei boced*) Mae'r eira wedi hen fynd . . . peth arall, mi fydde wedi gwneud lles i'r pridd 'taet ti wedi trafferthu i'w droi o—lladd chwyn!

NOW: O'n i ddim isio dal niwmonia chwaith! (*Mae'n llygadu Wilias yn rhoi'r blwch yn ôl.*)

WILIAS: Ond dyna dy waith di—am hynny ti'n cael dy dalu.

71

YMWELYDD: A thra byddwch chi i lawr yna, Wilias—prynwch dipyn o ffrwythau—gellyg . . . afalau, rhywbeth melys . . . na! . . . grawnwin!—dyna be' hoffwn i gael—grawnwin duon . . . ond 'falle fod pethe felly braidd rhy ddrud yr adeg yma o'r flwyddyn.

WILIAS: 'Dyw e ddim o bwys pa mor ddrud ŷn nhw, merch i . . . os mai grawnwin y'ch chi'n moen—grawnwin chi'n gael. Fuo fi 'rioed yn gyndyn i wario os oedd . . .

YMWELYDD: Diolch! Fyddwch chi ddim yn hir debyg gen i?

WILIAS: Dim clipad! (*Ond nid yw'n symud, dim ond troi i edrych ar Now. Saib fer*) Ti'n mynd i'r ardd 'na?

Now: Mi a'i munud!

YMWELYDD: Chi'n mynd nawr, ond y'ch chi, Now . . . Mae'r bâl newydd brynsoch chi dan y gwely, os rwy'n cofio'n iawn.

Now: O . . . ydi . . . ydi, 'da chi'n iawn . . . fa'na ma' hi. (*Ond nid yw'n symud, dim ond edrych ar Wilias. Saib fer o ddistawrwydd.*)

YMWEL'YDD: Chi'n mynd 'ta? Fe ellwch wneud tyrn da cyn daw Williams yn ôl.

Now: Iawn! . . . (*Mae'n mynd i nôl y rhaw*) . . . unwaith y bydda i wedi dechra, mi gewch chi weld be' ydi be' (*Wrth Wilias*) . . . o cewch! (*Mae'n tynnu'r rhaw allan oddi tan y gwely*) . . . Cheith neb ddeud mod i ofn gwaith . . . a ma' gin i ddigon o fôn braich i wneud hefyd . . . 'dwi ddim mor hen â rhai. (*Mae'n sefyll yn heriol o flaen Wilias yn awr*) . . .

YMWELYDD: Ffwrdd â chi 'ta, Now (*Yn hollol addfwyn.*)

Now: Reit . . . 'dwi'n mynd 'ta . . . (*Mae Now yn mynd allan braidd yn anfodlon.*)

WILIAS: (*Wedi iddo fynd*) Ma'r bachgen yna . . . (*Mae Now yn rhoi 'i ben i fewn eto.*)

Now: Mi ddoi mewn i neud panad i chi'n munud.

YMWELYDD: Mi fyddai'n iawn am awr ne' ddwy, diolch!

Now: O . . . reit ta . . . mi â i . . . (*Mae'n mynd.*)

WILIAS: Mae'r bachgen yna yn . . . (*Rhydd Now ei ben i mewn eto.*)

Now: Mi fyddwch isio glo ar tân . . .

YMWELYDD: Ma' hi'n ddigon cynnes heddiw, Now.

Now: O . . . reit . . . (*Mae'n cau'r drws eto. Saib. Mae Wilias yn agor y drws yn sydyn rhag ofn fod Now yna, ac yn ei gau drachefn.*)

WILIAS: Ma' hwnna'n dwlpyn o ddiogi.

YMWELYDD: (*Yn gwenu*) Ifanc yw e, Williams, dim hanner mor ddeallus a chydwybodol â chi.

WILIAS: (*Yn nesu ati*) Wel . . . mi fydda' i'n ceisio gwneud 'y nyletswydd bob amser, wyddoch chi.

YMWELYDD: 'Rwy'n gwybod hynny. 'Wn i ddim beth fyddwn i wedi wneud 'taech chi ddim yma.

WILIAS: Chewch chi ddim cam, fentra i hynna i chi. (*Mae'n rhoi ei law ar ei hysgwyddau.*)

YMWELYDD: Brysiwch yn ôl, wnewch chi?

WILIAS: Chi'n meddwl byddwch chi'n iawn fan hyn? (*Nid yw eisiau mynd.*)

YMWELYDD: Wrth gwrs y byddai. (*Mae'n rhoi ei law ar ei law ef*) Ond peidiwch oedi serch hynny.

WILIAS: (*Yn mynd am y drws*) Fyddai'n ôl wap!

YMWELYDD: (*Yn codi'r radio oddi ar y bwrdd heb fawr o drafferth*) Beth am hon?

WILIAS: Beth? (*Yn troi.*)

YMWELYDD: Well i chi fynd â hi 'da chi—rhag ofn mai dim ar y batri mae'r bai wedi'r cyfan.

WILIAS: (*Yn cymryd y radio*) Chi'n iawn . . . gwell gwneud yn saff . . . 'wi'n mynd 'ta . . . 'da bo chi (*Allan*).

YMWELYDD: (*Gyda rhyw wên fodlon ar ei wyneb*) Da bo chi, Wilias!

(*Wedi iddo fynd, mae'r ferch yn dechrau tynnu'r pinau o'i gwallt a gadael iddo ddisgyn yn gydynnau dros ei hysgwyddau. Yn y man, mae'n codi a cherdded at y silff yn y cefn. Rhydd ei llaw ar frws gwallt. Gwna hyn heb orfod ymbalfalu amdano o gwbwl. Gall ei bod wedi hen arfer â lleoliad popeth yn yr ystafell erbyn hyn. Hwyrach ei bod yn gweld—pwy a wŷr! Mae'n cerdded yn ôl i ganol yr ystafell yn awr tan gribo'i gwallt. Saif i wrando wrth glywed Now y tu allan yn taro ei raw yn erbyn y ddaear galed. Mae fel petai'n meddwl am rywbeth. Daw gwên dros ei hwyneb a cherdda at y drws a'i agor.*)

YMWELYDD: Now!

NOW: (*Llais*) Ia, mis?

YMWELYDD: Odi e wedi mynd?

NOW: (*Llais*) Beth?

YMWELYDD: Odi Wilias wedi mynd?

NOW: (*Llais*) Ydi . . . 'sdim golwg ohono fo.

YMWELYDD: Allwch chi ddod i mewn am funud 'te?

NOW: (*Llais*) I mewn?

YMWELYDD: Ie, 'rwy' moen ichi wneud rhywbeth imi . . . (*Mae'n cerdded yn ôl tan wenu i'w chadair. Daw Now i mewn. Mae yn noeth o'i ganol i fyny.*)

NOW: Ie, mis?

YMWELYDD: (*A'i chefn ato*) Meddwl y gallech chi gribo dipyn ar fy ngwallt i.

NOW: (*Wedi ei synnu braidd*) Gwallt?

YMWELYDD: Mae o'n fwy dryslyd nag arfer y bore 'ma. (*Mae'n estyn y brws iddo*) Chi'n meindio?

74

Now: (*Braidd yn swil*) O . . . wel, nagdw, dim o gwbwl. (*Mae'n gafael yn y brws a chyffwrdd ei gwallt yn ysgafn fel petai arno ofn gwneud niwed iddo*) . . . ond 'dwi fawr o giamblar ar betha fel hyn, cofiwch!

YMWELYDD: Chewch chi fawr o effaith arno fel 'na beth bynnag —cribwch dipyn cletach (*Mae Now yn gwneud*) . . . Dyna chi . . . o'r corun i'r godre . . . Rhowch y law arall dano i'w godi oddi ar y gwegil . . . (*Mae Now yn gwneud gyda thipyn o betruster*) . . . Dyna fe . . . chi'n fwy o giamblar na' chi'n feddwl.

Now: (*Wedi ei blesio, ac yn ennill hyder*) 'Da chi'n deud?

YMWELYDD: Y drwg 'da chi, Now, yw diffyg hyder—'smo chi'n gwybod y'ch gallu 'ch hun.

Now: Ia . . . ond, 'dwi 'rioed wedi gneud hyn o'r blaen, dalltwch.

YMWELYDD: Nid hyn yn unig rwy'n feddwl, ond popeth— popeth chi'n neud.

Now: 'Dwi ddim yn dallt chi, rwan.

YMWELYDD: Wel . . . sut galla i ddweud (*Saib fer*) . . . fyddai byth yn eich clywed chi yn gwneud unrhyw benderfyniad yn y lle 'ma, Now.

Now: Penderfyniad?

YMWELYDD: Cymrwch yr ardd yna nawr, er enghraifft, *chi* ddylie fod wedi penderfynu pryd i ddechre arni —neb arall!

Now: Ond chi ofynnodd . . .

YMWELYDD: Awgrymu wnes i . . . ond fe wnaethoch ufuddhau yn syth . . . er bod ganddoch chi resymau da dros beidio.

Now: Ia, ond fe glywsoch meinaps yn rhefru a mynd trwy 'i bethe.

75

YMWELYDD: Dyna'r union beth 'rwy'n feddwl—chi''n gildio lawer rhy rhwydd i fympwyon Williams . . . ond dyna fo, mae rhai pobol wedi cael eu geni felly . . . gwylaidd! . . . diniwed!

Now: Dim o'r fath beth.

YMWELYDD: Ond y drwg odi mai pobol felly sy'n cael eu cicio ar hyd ac ar led hefyd.

Now: Cicio pwy? Cheith neb fy nghicio i o gwmpas, mi dduda i hynna wrthach chi rwan . . . a tasach chi'n gallu gweld y dyrna 'ma, mi fasech chi'n deall bedwi'n feddwl . . . a dim pwdin siwat sy' gen i fan hyn 'môn 'mraich chwaith . . . teimlwch y mysyls 'na . . . (*Mae'n gafael yn ei llaw a'i rhoi ar ei fraich*) . . . teimlwch rheina (*Mae'r ferch yn codi a theimlo ei fraich*) Be' 'da chi'n feddwl o'r rheina 'ta?

YMWELYDD: Anhygoel . . . wnes i 'rioed ddychmygu.

Now: Sut gallach chi— a d'winna ddim yn un am frolio —fues i 'rioed.

YMWELYDD: (*Yn dal i fodio*) Caled fel dur—'rwy'n siŵr eich bod chi'n ddyn i gyd.

Now: (*Yn sefyll ar flaenau'i draed*) Dwy lath yn draed 'n sana!

YMWELYDD: (*Yn teimlo ei gorff yn awr*) 'Tawn i ond yn gallu'ch gweld chi am foment.

Now: Mi fedra i edrych ar ôl fy hun—mi dduda i hynna wrthach chi—cheith neb drin y boi yma fel pric pwdin.

YMWELYDD: Cry' fel tarw ifanc.

Now: (*Wedi ymgolli mewn ymffrost yn awr*) Mi fuo dest imi ladd Arab unwaith w'chi.

YMWELYDD: Beth?

Now: 'Dwi'n deud wrthach chi . . . mi o'n i'n mynd lawr y stryd yma un noson a dyma nhw amdana i—dau

76

jiraff mawr du, yn flew ac yn wefla i gyd. Mi drawis i un yn i dagall fel'na (*Yn meimio*) ac mi rois benglin i'r llall yn 'i wendid nes oedd yn i ddwbwl—warrog ar ei wegil o wedyn—chop! . . . karati! Fling i'r llall dros fysgwydd . . . codi nhw wedyn, un ym mhob llaw a'u waldio nhw yn 'i gilydd fel dwy fabi dol glwt . . . mi leinis i nhw'n ddu las. Lwcus bod na haid o slobs 'di cyrraedd i'w cymryd nhw oddi ar 'y nwylo i—ne' mi fasan nhw wedi cael y farwol . . . mi faswn i wedi rhwygo nhw'n gria . . . 'u stido nhw . . .

YMWELYDD: (*Yn closio ato*) Mae'n amlwg 'mod i wedi'ch camfarnu chi'n llwyr, Now . . . Ci tawel sy'n cnoi y'ch chi!

Now: 'Dwi'n deud wrthach chi!

YMWELYDD: (*Yn gafael ynddo a'i dynnu ati*) Mi fydda i'n saff 'da chi, felly?

Now: Gadewch i rywun drio rwbath, dyna i gyd . . . dim ond . . . i rywun . . . drio . . . (*Mae Now yn dechrau distewi gan fod y ferch yn anwesu ei gorff a'i dynu yn araf at ei hwyneb hi. Mae moment o ddistawrwydd yn awr, ac y mae Now ar fin cusanu'r ferch, ond try ei phen i ffwrdd cyn iddo gael cyfle i wneud.*)

YMWELYDD: Pam y'ch chi gymaint o'i ofn e, 'te?

Now: Y?

YMWELYDD: Williams! Pam y'ch chi gymaint o'i ofn?

Now: Ofn pwy . . . mi setlwn i hwnna fel'na!

YMWELYDD: Ond 'd y'ch ch byth yn gwneud . . .

Now: Nacydw . . . a ma' rheswm da pam hefyd . . . 'dwi ddim isio cymryd mantais . . . ar . . . ar . . . ar henaint.

YMWELYDD: Smo fe mor hen â hynny, odi e?

NOW: Hen? Mae o fel blydi Mathiwsala . . . a pheth arall, taswn i yn 'i slensio fo . . . mi fasa'n ddigon amdano fo.

YMWELYDD: Pam hynny?

NOW: Nefi—'da chi ddim wedi sylwi . . . 'da chi ddim wedi sylwi'r peth . . . 'dio ddim r'un fath â phawb arall, wyddoch chi!

YMWELYDD: Ddim fel pawb arall?

NOW: 'Mhell o fod . . . 'mhell iawn o fod, ond 'tasa hi'n mynd i'r pen . . . 'taswn i'n colli'n limpyn—mi sodrwn i o unwaith ac am byth . . . (*Y foment yma mae Wilias yn llamu i mewn i'r ystafell gan ddal rhaw Now yn fygythiol yn ei law.*)

WILIAS: Sodro pwy y corrach . . . Sodro pwy? (*Mae Now yn neidio mewn braw ond mae'r ferch yn rhoi gwên fach fel petai'r ymddangosiad yma gan Wilias ond yr hyn oedd yn ei ddisgwyl ers meityn. Mae'n dringo i fyny'r daflod yn ystod yr ymrafael sy'n dilyn.*)

NOW: Be' gythral haru chi, ddyn?

WILIAS: (*Yn agosáu at Now yn araf gyda'r rhaw yn barod i daro*) Dere 'mlaen 'ta . . . gad imi dy weld ti . . . gad imi dy weld ti'n gwneud . . .

NOW: (*Yn cilio o'i flaen yn ofnus*) Rhowch honna i lawr . . .

WILIAS: Dim Arab s'da ti nawr gw'boi . . . felly dere 'mlaen . . . dere. (*Mae'r ferch yn cribo'i gwallt gan edrych yn syth i'r gofod o'i blaen.*)

NOW: Rhowch honna i lawr yn eno'r nefoedd . . .

WILIAS: Ti ddim mor ddewr nawr, nac wyt ti . . . reit 'ta . . . fe ro' hi i lawr. (*Mae'n rhoi'r rhaw i bwyso yn erbyn y gwely*) . . . Smo i moen help dim i dy daclo di boi bach . . . dim ond rhain. (*Mae'n dal ei ddyrnau i fyny*) . . . Nawr ta, dere . . . gad imi

78

dy weld ti'n setlo'r hen ddyn . . . gad imi dy weld ti'n taclo Mathiwsala!

Now: Ylwch . . . 'dwi ddim isio trwbwl . . . (*Mae'n dal i fod ofn*) . . . ma' gin i barch . . .

WILIAS: I dy groen dy hun efallai . . . neb arall. (*Mae Wilias yn closio ato'n araf a Now yn dal i fagio*) . . . ond mae'r amser wedi dod gw'boi . . . mae'r amser wedi dod . . . (*Mae Now yn awr o fewn cyrraedd i'r rhaw ac y mae'n llamu amdani.*)

Now: Sa nôl y diawl! (*Yn codi'r rhaw yn fygythiol.*)

WILIAS: (*Yn aros a dechrau bagio*) Fe ddylwn fod yn gwybod . . . mi ddylwn fod wedi disgwyl tric fel'na . . .

Now: Mi hollta i di o dy gorun i'th fogal. (*Mae Wilias yn awr yn cipio cyllell fara oddi ar y bwrdd.*)

WILIAS: Dere 'mlaen 'ta . . . dere 'mlaen.

Now: 'Dwi wedi cael llond bol arna chdi, Wilias bach . . . (*Nid 'chi' a 'chithau' yw hi mwyach*) . . . llond blydi bol! . . . ond dim mwy . . . (*Mae Now yn codi'r rhaw i daro.*)

YMWELYDD: (*Yn uchel*) Dyna ddigon. (*Mae saib tra mae'r ddau yn edrych ar y ferch.*)

Now: Ond mi fuo dest iddo fo'n lladd i . . . rhaw! dyna ichi be' oedd ganddo fo—blydi rhaw!

WILIAS: Ond gan bwy ma' hi nawr 'te?—Gan bwy ma' hi nawr?

Now: A ma'r dwca fara ganddo fo hefyd—yr un fawr finiog 'na . . . di'r diawl ddim yn gall!

YMWELYDD: 'Sdim cywilydd 'da chi, gwedwch—dau ddyn o'ch hoed chi . . . ymddwyn fel plant . . . 'Roeddwn i'n meddwl y'ch bod chi'n mynd lawr i'r dre yna Wilias?

WILIAS: Lwcus nad es i ddim, tyfe? Mi wyddwn y bydde fe lan i rywbeth unwaith y câi o 'nghefn i.

79

Now:	Yli—mi o'n i allan yn fa'na'n palu pan . . .
YMWELYDD:	Mae'n amlwg na all 'r un ohonoch chi drystio'r llall bellach—
Now:	Trystiwn i mo'no fo led cae!
WILIAS:	'Sa well 'da fi drystio gwas y dic, gw'boi!
YMWELYDD:	'Does dim amdani ond gwahanu, felly, nacoes?
Now:	(*Gydai*
WILIAS:	*gilydd.*) Y?
YMWELYDD:	Wel . . . all y ddau ohonoch chi ddim byw dan yr un to fel hyn am weddill eich hoes. (*Mae saib hir yn awr tra mae'r ddau yn meddwl.*)
WILIAS:	Eitha reit . . . chi reit yn fan'na . . . (*Troi at Now*) . . . Felly bagla hi . . . bagla hi!
Now:	Bagla be'? Os oes rhywun yn mynd cefndar—chdi ydio—bag a blydi bagej!
WILIAS:	Fi sy' berchen y lle.
Now:	(*Gyda gwên speitlyd*) Ti'n deud?
WILIAS:	Fi prynodd o . . . f'arian i bob dime . . .
Now:	Ond fi ddaru o fel mae o . . . fy llafur i! 'Nhalent i . . . ti ddim yn cofio'r fargen?
WILIAS:	Ma' pethe wedi newid ers hynny'r corrach!
Now:	I ti, falla, ond 'di pethe byth yn newid gin Dwrna —mae o i lawr ganddo fo ar ddu a gwyn—enw'r ddau ohonon ni!
WILIAS:	Ond ma'r gweithredoedd gen i—chei di byth dy ddwylo ar rheini, dim tra bydd . . .
YMWELYDD:	Os yw enw'r ddau ohonoch chi ar y lle, 'dyw e ddim o bwys gan bwy mae'r gweithredoedd. 'Does ond un ffordd i setlo'r broblem. (*Saib*) Gwerthu'r lle!
WILIAS:	Gwerthu?
YMWELYDD:	Ie—a rhannu'r arian wedyn yn gyfartal! (*Saib hir eto.*)
Now:	Reit! 'Dwi'n fodlon gwneud hynny!
WILIAS:	Finne hefyd—rhywbeth i gael gwared o'r bwbach yma!

Now:	Pwy ti'n alw'n fwbach . . .?
YMWELYDD:	Ond yn y cyfamser, nes cawn ni gwsmer i'r lle, mi fydd rhaid inni wneud y gore o bethe fan hyn.
Now:	Dim ond iddo gadw'n glir oddi wrtha i.
YMWELYDD:	Mi fydd rhaid dyfeisio ffordd, felly, i'ch cadw chi ar wahân.
WILIAS:	Pella'n byd bydd o—gore'n y byd gen i!
YMWELYDD:	Mi wn i . . . mi fydd rhaid rhannu'r ystafell yma'n ddwy ran—a phob un i gadw i'w ran ei hun.
WILIAS:	Iawn! (*Mae'n rhuthro i nôl y pot paent a brws*) . . . Mater fach fydd hynny.
YMWELYDD:	Dwy ran gyfartal, cofiwch!
Now:	Reit yn y canol!
WILIAS:	Yn union yn y canol! (*Mae'n dechrau trwy beintio llinell i lawr canol y drws sydd yn y cefn ac yna ar hyd y llawr. Saif pan ddaw i'r bwrdd a'i symud drosodd i'w ochr ei hun.*)
Now:	Hold on, cefndar. (*Mae Now yn ei dynnu i'w ochr ef.*)
WILIAS:	(*Yn rhoi ei bot paent a'i frws i lawr*) Fi pia'r ford yma. (*Mae'n tynnu'r bwrdd tua'i ran ef.*)
Now:	Naci fi. (*Hefyd yn tynnu.*)
YMWELYDD:	Gadewch hi yn y canol—mi fydd rhaid ichi rannu'r ford. (*Maent yn ei symud i'r canol.*)
Now:	Reit! (*Mae'n rhuthro am y pot paent a'r brws*) Os ma' felly ma' hi i fod. (*Mae'n peintio llinell ar ganol y drws a wyneb y ford i'w rannu, ac wedyn weddill y llawr*) Dyna ti, cefndar, dyna dy libart di—a fi pia hwn.
WILIAS:	(*Yn sticio'r gyllell yn ei ran ef o'r bwrdd*) Iawn —ac os croesi di, mi fydda i'n barod amdanat!
Now:	(*Yn codi ei raw a mynd i sefyll ochor arall i'r bwrdd i wynebu Wilias*) A mi fydda inna'n disgwyl amdanat titha hefyd! (*Mae'r ddau yn rhythu ar ei gilydd fel dau geiliog yn barod i daro.*)

(Fe dywyllir y llwyfan am ysbaid fer. Yn y tywyll-wch, fe glywir llais Wilias yn adrodd y geiriau canlynol):

WILIAS: *(Yn y tywyllwch)* 'A'r Arglwydd Dduw a luniodd o'r ddaear holl fwysfiloedd y maes, a holl ehediaid y nefoedd, ac a'u dygodd at Adda, i weld pa enw a roddai efe iddynt hwy, a pha fodd bynnag yr enwodd y dyn bob peth byw, hynny fu ei enw ef.

Ac Adda a enwodd enwau ar yr holl anifeiliaid, ac ar ehediad y nefoedd, ac ar holl fwystfiloedd y maes ond ni chafodd efe i Adda ymgeledd cymwys iddo.

(Fe oleuir y llwyfan yn awr. Yr un yw'r olygfa ond mai gyda'r nos ydyw erbyn hyn—rai dyddiau yn ddiweddarach. Mae Now yn eistedd yn ei ochr ef o'r ystafell yn darllen comic (neu yn ffugio darllen) tra mae'r ferch yn eistedd yr ochor arall gyda Wilias. Mae Wilias yn darllen o'r Beibl iddi ac y mae Now yn taflu ambell i edrychiad slei cenfigennus tuag atynt. Mae dipyn o ddirywiad meddyliol yng nghymeriad Now a Wilias yn yr olygfa yma, ac y mae eu siarad yn fwy tebyg i blat yn ffraeo. Maent yn meddwl yn anhrefnus ac fe ddylai'r act ddiweddu gyda rhyw fath o 'dorri lawr' terfynol.)

WILIAS: *(Yn darllen)* 'A'r Arglwydd Dduw a wnaeth i drymgwsg syrthio ar Adda, ac efe a gysgodd, ac efe a gymerodd un o'i asennau ef, ac a gaeodd gig yn ei lle hi. *(Mae Now yn taflu ambell i edrychiad slei atynt)* A'r Arglwydd Dduw a wnaeth yr asen a gymerasai ef o'r dyn, yn wraig . . .'

NOW: *(Dan ei wynt)* Rybish! *(Mae Wilias yn troi i edrych arno ond mae Now yn ffugio darllen ei gomic. Ar ôl saib fer â Wilias ymlaen â'r darllen.)*

WILIAS: '. . . ac a'i dug at y dyn. Ac Adda a ddywedodd, hon weithian sydd asgwrn o'm hesgyrn i . . . (*Mae Now yn codi ei ben i edrych eto*) . . . a chnawd o'm cnawd i; hon a elwir gwraig, oblegid o ŵr y cymerwyd hi . . . (*Mae Wilias yn troi ei ben yn sydyn i gyfeiriad Now yn awr a'i ddal. Mae Now yn troi ei ben yn ôl at ei lyfr*) . . . Be' ti'n edrych?

NOW: (*Yn codi ei ben gyda golwg hollol ddiniwed arno*) Edrach be'?

WILIAS: Fe welais i ti . . . fe welais i ti'n awr . . . fe welais i ti'n edrych.

NOW: Dim cythral o beryg.

WILIAS: Tro ffordd arall 'ta a meindia dy fusnas.

NOW: Yli, mi ga' i 'neud be' fyd fynna' i fan hyn, mêt— 'rochor yma i'r lein 'na, beth bynnag.

WILIAS: Ond 'sda ti ddim hawl i edrych ffordd hyn . . . 'sda ti ddim hawl i . . . rythu arno i.

NOW: Rhythu ar bwy? Dy wep di ydi'r peth dwytha dwisio'i weld.

YMWELYDD: Oes rhaid imi ddiodde hyn trwy'r adeg?

WILIAS: Ond mae o'n edrych . . . yn gwylio popeth wi'n wneud . . . 'smo i'n busnesa pan y'ch chi 'da fe . . . smo i'n edrych.

NOW: O, wyt . . . ti wrthi trwy'r adeg—llgadu popeth . . .

YMWELYDD: Nawr, dishglwch—os nad y'ch chi'ch dau am fod yn ddistaw, wi'n mynd i'r gwely.

NOW: Fedrwch chi ddim . . . ma' gynnoch chi hannar awr hefo fi . . . ma' gynnoch chi hanner awr eto hefo fi cyn mynd i'r gwely—nhwrn i ydi!

YMWELYDD: Bihafiwch 'ta—ne' ddoi ddim at 'r un ohonoch chi. (*Distawrwydd*) Nawr 'te, Williams, chi moen darllen imi neu beidio? (*Mae Wilias yn eistedd eto, ac ar ôl taflu edrychiad neu ddau at Now i wneud yn saff nad yw'n gwylio, mae'n mynd ymlaen â'r darllen.*)

WILIAS: '. . . Oherwydd . . . oherwydd hyn . . . yr ymedy gŵr â'i dad, â'i fam, ac y glŷn wrth ei wraig (*Saib*) Ac yr oeddynt ill dau yn noethion, Adda a'i wraig, (*Saib*) ac nid oedd arnynt gywilydd'. (*Saib hir*) Chi am imi fynd ymlaen i'r bennod nesa'?

YMWELYDD: Na . . . na, un bennod y noson ddwedon ni . . . mi fydd rhywbeth i edrych ymlaen ato nos yfory. (*Mae Wilias yn cau'r Beibl*) Chi'n ddarllenwr penigamp, Wilias. (*Edrychiad cenfigennus o gyfeiriad Now.*)

WILIAS: Chi'n meddwl hynny?

YMWELYDD: Digon hawdd deall y'ch bod chi'n weinidog. (*Now yn codi ei ben fel petai ar fin protestio*)— Pregethwr cyrdde mawr hefyd wedwn i.

WILIAS: O . . . chi'n iawn yn fan'na . . . roedd galw mawr amdana i . . . cwrdde'n orlawn . . . oedd galw mawr arnai fel pregethwr.

NOW: (*Yn eitha pendant nawr*) Pregethwr blydi drama!

WILIAS: (*Yn gwylltio*) Dishgwl yma gwd boi . . .

YMWELYDD: Dyna ddigon Now—os nad oes ganddoch chi barch iddo fe— fe ddylech barchu 'i swydd e fel gweinidog.

NOW: Gweinidog be' . . . 'di hwnna ddim mwy o wnidog nad w' inna.

WILIAS: (*Yn codi*) Wi'n gweud wrthat ti . . .

NOW: 'Dio ddim yn gall—'da chi ddim yn dallt—sgriw rhydd—mae o'n newid i waith bob lleuad.

WILIAS: (*Yn nesu at y ffin*) Wi'n dy warnio di . . .

NOW: Doctor oedd o ddwytha, meddan nhw i mi—blydi doctor—mynd o gwmpas hefo bag bach du a thermometer—ellwch chi weld o?

WILIAS: (*Yn gweiddi ar y ffin nawr*) Un gair eto . . . un gair . . . a mi . . . mi . . .

Now: (*Yn sefyll i'w wynebu ar y ffin*) Mi wnei di be' . . .?

WILIAS: Mi setla i di unwaith ac am byth gw'boi . . . dyna be' wnai . . . mi taga i di'n sych.

Now: Glywsoch chi wnidog yn siarad felna 'ta? (*Wrth y ferch*) Glywsoch chi . . . dwi'n gofyn ichi? (*Nid yw'r ferch yn gwneud dim ond rhythu i'r gofod o'i blaen*) Tyrd 'ta . . . (*yn herio Wilias*) . . . tyrd 'ta . . . croesa! . . . Croesa cefndar . . . croesa!

WILIAS: Os gwna i, mi fydd edifar gen ti.

Now: Os gwnei di, fydd di ddim gwerth dy godi.

YMWELYDD: (*Yn codi ar ei thraed*) 'Dyw rhannu'r strafell yma ddim digon ichi ddyliwn—mi fydd rhaid dyfeisio rhywbeth arall i'ch cadw chi ar wahân.

Now: A hynny reit sydyn hefyd—ne' mi fydda i wedi rhoid y farwol iddo fo—dwi'n deud wrthach chi.

WILIAS: Ti a phwy? E? Ti a phwy?

YMWELYDD: Mi fydd rhaid cael rhyw fath o bartisiwn—rhyw-beth rhyngoch chi—fel na allwch chi weld eich gilydd.

WILIAS: (*Yn edrych o'i gwmpas yn wyllt*) Aros di'r corrach (*Mae'n rhuthro am stand hetiau sydd yn ei ochr ef o'r ystafell ac yn gafael ynddo. Y funud honno mae Now yn rhuthro am ei raw, gan feddwl fod Wilias yn mynd i ymosod. Daw Wilias i gyf-eiriad y ffin gyda'r stand yn ei ddwylo.*)

Fel plant bach

Now: (*Yn bagio'n ofnus gyda 'i raw*) Tyrd ti'n agos ata' i' a mi lladda i di . . . dwi'n deud wrthat ti . . . mi lladda i di!

YMWELYDD: Be' chi'n wneud?

WILIAS: Mi setla i e—wêl o ddim yn y funed.

Dinistrio eglwys/capel 85 *dau gwelyron twp*

NOW: (*Yn dal y rhaw yn yr awyr yn fygythiol*) **Aros lle** 'rwyt ti! (*Mae Wilias yn gosod y stand yn union ar linell y ffin. Mae rhaff eisoes wedi ei chordeddu o gwmpas y pegiau, gan eu bod wedi eu defnyddio yn achlysurol fel lein ddillad. Mae Wilias yn awr yn clymu y pen arall o'r rhaff yn y daflod fel ei bod yn rhedeg o'r stand hetiau yn union ar hyd y ffin. Mae Now yn edrych arno gyda syndod.*)

YMWELYDD: Be' chi'n wneud—gwedwch wrtha i?

WILIAS: (*Yn rhuthro i nôl planced o'r gwely*) Wêl o ddim yn awr . . . (*Mae'n chwerthin*) . . . wêl o gythrel o ddim. (*Mae'n rhoi'r blanced dros y rhaff fel bo llen rhyngddynt*) Na fe . . . weli di ddim nawr gw'boi.

NOW: Siwtio fi mêt—siwtio fi i'r dim!

WILIAS: (*Wrth y ferch*) 'Wi wedi hongan carthen . . . 'wi wedi hongan carthen rhyngddon ni—all e ddim 'n gweld ni'n awr.

NOW: (*Yn gweiddi o'r ochor bella*) Elli ditha mo 'ngweld inna' chwaith, na fedri?

WILIAS: Smo i moen dy weld ti, gw'boi . . . Smo i moen dy weld ti byth!

NOW: 'Dwinna ddim isio dy weld titha'r sglyfath hyll.

WILIAS: (*Yn sibrwd nawr*) Fe gawn ni lonydd nawr—heb neb i'n styrbio ni . . .

YMWELYDD: Pam oedd o'n dweud hynna, Williams?

WILIAS: Y?

YMWELYDD: Mae nid Gweinidog y'ch chi?

WILIAS: (*Sibrwd*) Ma' fe'n dost chi'n gweld—dim eitha pethma—dyna pam gymris i drueni arno fe . . . ond ma' fe'n mynd yn wath . . . yn wath bob dydd.

YMWELYDD: Ond Gweinidog y'ch chi?

WILIAS: Smo fe'n saff nawr . . . 'wi wedi weld e fel hyn o'r blaen—hollol wallgo . . . a mi fu rhaid 'i gloi e . . . mi fu rhaid i gloi o mewn pryd hynny. (*Mae saib o ddistawrwydd fel y mae'r ferch yn troi ei phen yn fyfyriol i gyfeiriad ochr Now o'r ystafell*) Disglwch, falle mae'r peth gore i ni yw mynd cyn bod hi'n rhy hwyr.

YMWELYDD: (*Troi ei phen yn ôl yn sydyn*) Mynd?

WILIAS: Ni'n dou—cyn iddo wneud niwed i chi . . . ma' arian 'da fi. (*Mae'n codi yn eiddgar i fynd i nôl ei focs. Clyw Now ddrws y cwpwrdd yn agor a thinc y blwch. Mae'n nesáu at y llenni i wrando. Mae Wilias yn dychwelyd ac agor y bocs dan ei thrwyn ac am eiliad fe allai rhywun daeru ei bod yn edrych i mewn iddo*) Digon nes cawn ni'n cefne atan'.

YMWELYDD: Faint sydd 'na? (*Mae Now yn awr yn estyn cadair yn ddistaw a'i rhoi wrth y llen a mynd i sefyll arni i geisio specian drosodd.*)

WILIAS: (*Yn tynnu'r bwndeli allan a'u rhoi fesul un yn llaw y ferch*) Cant . . . deugant . . . tri chant . . . pedwar. (*Mae'n gweld copa pen Now yn edrych drosodd*) Hegla hi! (*Mae'n codi cyllell fara ac yn ei chwifio uwchben y llenni*) Hegla hi, diawl—hegla hi. (*Mae Now yn neidio i lawr mewn dychryn*) O'dd e wrthi eto . . . dros y garthen . . . mi welais i e . . . yn edrych arnon ni.

Now: Paid â deud cythral o glwydda.

WILIAS: Mi welis i ti . . . mi welis i ti wrthi.

Now: Ti'n gweld nhw 'ta . . . dechra gweld pethe.

YMWELYDD: Williams!

WILIAS: Ond fe welis i fe . . .

YMWELYDD: (*Yn ddistaw*) Allwn ni ddim mynd nawr, Wilias.

WILIAS: Pam?

YMWELYDD: Rhaid disgwyl am y foment iawn.

WILIAS: Ddowch chi 'te?

87

YMWELYDD: Pan fydd e'n cysgu. (*Mae'n cynnig yr arian yn ôl iddo*) Ar doriad gwawr!

WILIAS: Na . . . cadwch chi nhw . . . wyddoch chi ddim be' wnaiff o—mi fydden yn saffach 'da chi. (*Mae'r ferch yn eu stwffio dan ei gwisg. Gwelwn Now yn awr yn edrych ar gloc larwm sydd ganddo ac yn troi ei fysedd fel y bo'r gloch larwm yn canu.*)

Now: Dy amser di i ben, cefndar!

WILIAS: (*Yn edrych ar ei oriawr boced*) Y? O nagydyw . . . ma' deg munud arall 'da fi.

Now: Ma' larwm yn mynd tydi . . .? Ma' larwm yn mynd—elli di ddim dadla.

YMWELYDD: (*Yn codi*) Fe â i, Williams, i gadw fe'n ddiddig . . .

WILIAS: Ond fe all . . . mae e'n beryglus . . . wi'n gweud wrthach chi . . .

Now: 'Da chi'n dwad 'ta?

YMWELYDD: Fe alla' i drin e . . . (*Mae'n gwenu*) a bore fory ddaw!

WILIAS: Ia . . . chi'n iawn—cymrwch ofal.

YMWELYDD: Chi ddyle gymryd gofal rwy'n credu.

WILIAS: Be' chi'n feddwl?

YMWELYDD: Tae e'n dechre ame . . . wyddoch chi ddim be' wnaiff e . . . ymosod arnoch chi falle—yn ystod y nos.

WILIAS: (*Wedi dychryn*) Yn ystod y nos . . . mi ofala i . . . mi ofala i am hynny.

Now: 'Dwi'n disgwl! (*Mae'n mynd i fyny'r ysgol—ei thynnu ar ei hôl, a'i rhoi i lawr yr ochor arall. Mae'n dringo lawr at Now*) Dyma ti 'ta. (*Mae rhyw fath o yswildod diniwed yn perthyn i Now yn awr*) . . . Steddwch. (*Mae'n estyn cadair iddi.*)

YMWELYDD: (*Yn eistedd*) Diolch. (*Saib hir.*)

Now: Ia! . . . (*Saib*) . . . wel . . . y . . . rhyw feddwl o'n i y basach chi . . . y basach chi'n licio imi. . . (*Mae'n cyffwrdd ei gwallt yn awgrymog.*)

88

Ymwelydd:	Pam lai? (*Mae Now yn rhuthro'n wyllt i nôl y brwsh a'r crib*) . . . Cewch chi i godi o imi tra byddwch chi wrthi.
Now:	I godi o?
Ymwelydd:	Mi fydda i'n barod am y gwely wedyn.
Now:	O . . . duwcs, w'n i ddim allai wneud hynny, cofiwch. (*Mae Wilias yn clustfeinio yr ochor draw yn awr.*)
Ymwelydd:	Wrth gwrs y gallwch chi (*Mae Now yn gwneud gyda mwynhad amlwg*) . . . Dyna chi . . . Nawr, clymwch e'n gynffon da'r ruban yna sy'n y blwch.
Now:	Cynffon?
Ymwelydd:	(*Yn gafael yn ei gwallt yn fwndel y tu ôl*) Fel hyn!
Now:	O . . . wela i.
Ymwelydd:	Clymwch e' nawr 'te. (*Mae Now yn gafael yn y ruban a gwneud*) . . . na fe.
Now:	Iawn!
Ymwelydd:	Dim ond 'i godi e'n awr yn docyn ar y corun fel hyn. (*Mae'r ferch yn gwneud*) Nawr 'te—ble mae'r pinne gwallt 'na?
Now:	(*Yn estyn y pinne iddi*) Dyma chi. (*Mae'n pinio'r gwallt ar y corun tra mae Now yn edrych arni'n edmygus. Mae'r ferch yn aros ennyd fel petai'n gwrando, ac yna yn sibrwd.*)
Ymwelydd:	(*Yn isel*) Ma' fe'n ddistaw iawn.
Now:	Ydi'r cythral—a dwi'n siŵr i fod o'n glustia i gyd yn trio clywad be' 'da ni'n neud. (*Codi 'i lais*) Ond mi gai'r diawl—mi cai o! (*Mae Wilias yn edrych mewn panig o gwmpas yr ystafell ac yn cario bocs neu ddau i ddechrau adeiladu y baricêd tu ôl i'r blanced.*)
Wilias:	Hoffwn i dy weld ti'n ceisio ceiliog dandi!
Ymwelydd:	(*Yn tynnu'r arian o dan ei gwisg a'u dangos i Now*) Drychwch.

Now:	Nefi!
Ymwelydd:	Sh!
Now:	(*Sibrwd*) Lle cawsoch chi'r rheina?
Ymwelydd:	Fe roed nhw i mi i'w cadw.
Now:	'Rarglwydd o'r Sowth!
Wilias:	Dere di'n agos i fan hyn gwd boi . . . wi'n barod . . . wi'n barod amdanot ti . . . (*Mae'n adeiladu ei wal amddiffyn.*)
Ymwelydd:	Fe allwn fynd yn awr—ni'n dou—a'i adael e' yn 'i lanast.
Now:	Mynd?
Ymwelydd:	Ie . . . dyna'r unig ffordd—ni'n dou.
Now:	Chi a fi? (*Mae'r ferch yn nodio*) Reit 'ta—myn diawl . . . reit. (*Mae'n troi fel petai yn mynd i baratoi.*)
Ymwelydd:	Nid nawr . . . rhad disgwyl am ein cyfle—ganol nos pan fydd e'n cysgu.
Now:	Ia . . . nachi . . . (*Saib i feddwl*) . . . ond twllwch!
Ymwelydd:	Mi fydda i gyda chi.
Now:	(*Gwenu*) Byddwch . . . byddwch siŵr Dduw.
Ymwelydd:	Ma' diwrnod mawr o'n blaen ni. (*Mae'n rhoi ei llaw ar ei foch*) . . . rhaid imi orffwyso dipyn.
Now:	Rhaid . . . 'da chi'n iawn . . . dadflino'n barod. (*Mae'n troi i fynd at yr ysgol ac yna yn oedi a throi i wynebu Now eilwaith.*)
Ymwelydd:	Ond gwyliwch o heno . . .
Now:	Y?
Ymwelydd:	Cymrwch ofal—mae ganddo fo rywbeth i fyny ei lawes. Fe all ymosod.
Now:	Fo . . . (*Mae golwg braidd yn bryderus arno*) Heno? . . . (*Mae Wilias yn gwrando*) . . . mi setla i o'n gyntaf . . . o gwnaf . . . (*Mae'r ferch yn dringo a thynnu'r ysgol ar ei hol.*)

Pam ma' isher gofe arni hi → acnos maen gweld

90

WILIAS: Dere 'te . . . dere 'te ngwas i . . . dere. (*Mae Now yn awr yn chwilio am focs ac yn dechrau ar 'i faricêd.*)

Now: (*Yn dechrau adeiladu*) Mi mala i di . . . mi . . . mi rhwyga i di'n gria.

WILIAS: Ma' cyllell 'da fi . . . cofia di hynny . . . ma' cyllell 'da fi. (*Mae'r ferch yn sefyll ar ben y daflod ac yn edrych arnynt fel petai yn eu gweld. Mae awgrym leia' o wên ar ei hwyneb.*)

Now: Chei di ddim cyfle i hiwsio hi'r sglyfath!

WILIAS: Fe dorai dy wddwg di.

Y ddain noual (*Mae'r ddau yn awr yn tynnu parwydydd y tŷ i lawr ac yn eu defnyddio i adeiladu mur rhyng-ddynt. Wedi iddynt orffen, mi fydd y tŷ yn union fel ag yr oedd ar ddechrau'r ddrama—Dim ond sgerbwd noeth.*)

nuts.

Now: Mi hollta di'n ddarna! Ma' gin i'r rhaw—ma' gin i blydi rhaw, cofia.

WILIAS: Fe dyna i dy berfedd di.

Now: Mi sbredia i di ar y parad na fel jam riwbob. (*Mae'r ferch yn cau'r llenni.*)

(*Ar ôl iddynt adeiladu'r mur rhyngddynt, mae'r ddau fel petaent wedi ymlâdd yn llwyr. Ceir saib hir o ddistawrwydd. Mae'r ddau yn gwrando am unrhyw sŵn o gyfeiriad y llall. Yn y man, mae Wilis yn 'chwyrnu' gan obeithio twyllo Now ei fod yn cysgu. Cyn gynted ag y mae Now yn clywed hyn mae'n mynd at y daflod a sibrwd . . .*)

Now: Mis . . . mis, mae o'n cysgu. (*Saib*) Mis, 'da chi' nghlwad i?

(*Mae'n neidio a chrafangu am y daflod, ac yn llwyddo i dynnu'r llenni yn ei ochr ef*) Mis! . . . (*Mae'n gweld nad yw'r ferch yna, ac y mae'n ame yn syth ei bod gyda Wilias, yr ochor arall i'r ffin*)

91

. . . Fa'na ma' hi 'te? . . . hefo chdi ma' hi . . . hefo chdi!

WILIAS: (*Yn rhuthro i dynnu llenni'r daflod yn ei ochor ef*) 'Da fi be'? . . . (*Gyda chryn ymdrech mae yntau yn llwyddo i dynnu'r llenni a gweld nad yw'r ferch yno*) Ble ma' hi?—Ble ych chi? . . . mis . . . (*Mae'n dod at y ffin gan feddwl fod y ferch gyda Now*) . . . miss, y'ch chi'n iawn?

NOW: Paid â thrio bod yn glyfar hefo fi'r diawl . . . hefo chdi ma' hi . . . dwi'n gwybod yn iawn . . . hei, miss . . . dwi'n barod . . . mi ddo i hefo chi rwan.

WILIAS: Ond fi ddwedoch chi . . . fi ddwedoch chi mis . . .

NOW: Mi ddudoch chi y basach chi'n dwad—mi ddudoch chi. (*Yn ystod y deialog yma fe dywyllir y llwyfan yn araf hyd nes mai dim ond wynebau'r ddau bob ochr i'r ffin fydd wedi eu goleuo.*)

WILIAS: Mis . . . chi'i nghlywed i . . .?
(*Mae eu lleisiau yn awr yn union fel dau blentyn yn erfyn am eu mam.*)

NOW: Dudwch rwbath . . .

WILIAS: Smo fe'n dda i ddim i chi . . .

NOW: Be' wnaech chi hefo hen ddyn 'r un fath â hwnna? (*Mae eu lleferydd yn arafu fel petaent o dan ddylanwad cyffuriau.*)

WILIAS: Ellwch chi ddim mo'i drystio fe—ma' fe'n beryglus . . .

NOW: Ond . . . ond 'dwi'n barod i ddisgwyl . . . 'dwi'n barod i ddisgwyl nes byddwch chi'n barod.

WILIAS: Fe arhosa i . . . fe arhosa i nes dowch chi . . . (*Distawrwydd. Erbyn hyn fe ddylai'r llwyfan fod yn hollol dywyll oddieithr y ddau wyneb bob ochor i'r ffin.*)

NOW: Mis . . . (*Fel cri dafad bron.*)

WILIAS: Mis . . . (*Yr un mor dorcalonnus.*)

Now: Mis (*Tywyllwch—mae wyneb Now yn diflannu.*)
WILIAS: Mis (*Tywyllwch—mae wyneb Wilias yn diflannu.*)

(*Yn y tywyllwch fe glywir y gwynt yn cwyno'n
dawel.*)

Ai bai'r ferch yw y cyfan?
Tentasiwn yna i bawb